絶歌

神戸連続児童
殺傷事件

元少年A

太田出版

86 6 22

目次

第一部

名前を失くした日

一九九七年六月二十八日。

僕は、僕ではなくなった。

陽《ひ》なたの世界から永久に追放された日。

それまで何気なく送ってきた他愛ない日常のひとコマひとコマが、急速に得体のしれない象徴性を帯び始めた日。

「少年A」——それが、僕の代名詞となった。

僕はもはや血の通ったひとりの人間ではなく、無機質な「記号」になった。それは多くの人にとって「少年犯罪」を表す記号であり、自分たちとは別世界に棲《す》む、人間的な感情のカケラもない、不気味で、おどろおどろしい「モンスター」を表す記号だった。

良くも悪くも、僕は他人より目立つ部分はひとつもなかった。自分が、何かを象徴する存在になるなど、ただの一度も想像したことはなかった。

中学時代の同級生たちのことを思い出してみてほしい。最初に思い出すのは誰だろう？成績優秀、スポーツ万能、おまけに容姿にまで恵まれた、学級委員長の彼だろうか？

二番目に思い出すのは誰だろう？　根アカで、話が面白くて、いつも場を盛り上げていた、ムードメーカーの彼だろうか？

三番目に思い出すのは誰だろう？　髪を染め、タバコをふかし、ケンカに明け暮れ、時折はにかんだような可愛い笑顔を見せてくれた彼だろうか？

全員出揃ったところで、教室の片隅に眼をやってみてほしい。ほら、まだいたではないか。あなたが、顔も名前も思い出せない誰かが。自分と同じクラスにいたことさえ忘れている誰かが。

勉強も、運動もできない。他人とまともにコミュニケーションを取ることもできない。教室に入ってきても彼のほうを見る者はいない。廊下でぶつかっても誰も彼を振り返りはしない。彼の名を呼ぶ人はひとりもいない。いてもいなくても誰も気付かない。それが僕だ。

どの学校のどのクラスにも必ず何人かはいる、スクールカーストの最下層に属する〝カオナシ〟のひとりだった僕は、この日を境に少年犯罪の〝象徴《カオ》〟となった。

早朝、誰かに肩を揺すられる感触で眼が覚めた。寝ぼけ眼《まなこ》に、父親の顔が映った。

「警察が来とる。なんかお前に訊きたいことあるんやて……」

そう僕に告げた父親は、状況をうまく呑み込めていないような、当惑した表情を浮かべていた。

僕は何も答えずに、枕の周りを取り囲むように積み上げたイヌやアヒル、ゴリラやワニなどのぬいぐるみの要塞を押し崩し、布団から抜け出すと、もっさりした動作でジーパンとトレーナーに着替え、二階の自室から一階へ降りた。玄関には二人の中年の刑事が来ていた。ビール腹の禿頭の刑事と、いかにも柔道で鍛えてますと言わんばかりの、耳の潰《つぶ》れた体格のいい刑事だ。

「ちょっと訊きたいことあんねんけど、一緒に来てもろてええかなぁ？」

禿頭の刑事が言った。ニコニコ笑顔を浮かべながら、獲物に照準を合わせるハンターのような鋭い眼が、僕を捉えて離さなかった。僕は黙って頷《うなず》いた。

家を出る時、僕は父親の顔を見ていなかった。母親は家の奥にいて、その場にいなかった。

今思うと、この時の父親の顔を見ておけばよかった。母親を呼んで、その顔を見ておけばよかった。二人が僕のことを、「殺人者」でも「化け物」でもなく、デキの悪い「自分たちの息子」として見てくれる最後の瞬間を、この眼に焼き付けておきたかった。ボサボサに伸びた髪をかきあげて、空を見ておけばよかった。それから数年間、空の見えない部屋で過ごすことになるのだから……。

だが僕はいつもどおり下を向いていた。誰の顔も見たくなかった。誰にも見られたくなかった。

こうして僕は家族の前から、陽なたの世界から、姿を消した。

以来、僕の時間は、十四歳で止まったままだ。


土師《はせ》淳《じゅん》君殺害・死体遺棄事件の捜査本部が設置された須磨警察署に到着すると、簡単なボディ・チェックを受けた後に取調室に通された。取調室には二人の刑事が待機していた。部屋の真ん中で両手をポケットに突っ込んで仁王立ちした大柄な刑事は、白髪交じりの縮れ毛に鉤鼻《かぎばな》、猛禽類を思わせる鋭い眼光、浅黒い肌は若いころにさんざん現場を駆けずり回ってきたような叩き上げの雰囲気を醸し出していた。

その傍らに立つもうひとりの刑事は、ポマードを塗った髪を横分けにし、眼鏡の奥の眼は小さく、くたびれたYシャツを着ていた。

バタンと、取調室のドアが閉まった。

「そこ座れ」

刑事が椅子を指差した。僕が座ってから、彼もデスクを挟んだ向かい側の椅子に座った。もうひとりの刑事はドアの前に立った。デスクの端には分厚いファイルが置かれていた。

刑事が僕の眼を見据えて質問した。

「淳君の事件は知っとぉな？」

「テレビで見ました」

「三月にも女の子が殴られて死んだ事件あったやろ？　あれ、おまえがやったんとちゃうんか？」

「何の話です？」

僕はシラをきった。

「同じ日にナイフで刺されて怪我した子おったやろ？　その子におまえの写真見せたら、犯人に間違いない言うてんねん。身に覚えないんか？」

「知りません」

質問しながら彼は、身を乗り出して僕の眼を覗《のぞ》き込んだ。

「めずらしいやっちゃなぁ〜。嘘ついとんのに顔に出えへんなぁ。周りが騙《だま》されるわけやわ。淳君のほうはどないや？　おまえと一緒に歩いとるとこを見た言う人もおんねんけどなぁ」

「淳君は弟の友達です。うちに遊びにきたりもしてました。けど淳君と二人だけで遊ぶことはないんで、見間違いじゃないですか？」

こんなやり取りを続けながら、僕は内心、しびれを切らしていた。

――今すぐに罪を認めたい。一刻も早く死刑台に連れていってすべてを終わらせてほしい――

この頃の僕は、もう自分で自分をコントロールできなかった。だから力ずくで誰かに止めてもらうしかなかった。

「あのぉ～、もう疲れたんですけど、何か物的証拠とかってあるんですか？」

僕がそう言うと、刑事がキレた。

「警察ナメとったらあかんどガキャア！　何の証拠もなしにこんなとこまで引っ張ってこれるわけないやろが！」

刑事は怒鳴りながらデスクに両手をついて勢いよく立ち上がり、端に置いてあった分厚いファイルを手に取って僕の眼の前に叩きつけた。彼はファイルを開き、ページをパラパラとめくって僕に見せながら詰め寄った。

「おまえが学校で書いた作文全部や！　専門家に筆跡鑑定してもろたら、神戸新聞に送った声明文とこの作文の筆跡は百パーセント同じ奴やって結果が出たんや！　もうそろそろ堪忍したらどないや！」

そこには確かに僕が過去に書いた作文の束や、神戸新聞社に送った犯行声明文のカラーコピーが綴《と》じられていた。

眼の前に、小学校時代からの作文や犯行声明文を突きつけられると、「筆跡鑑定が一致した」というのがとても嘘とは思えなかった。

――やっと証拠が出た。終わりだ。もう終わっていいんだ――

内心そう思いながらも、僕はすぐには認めず、かわりに、ありったけの力をふり絞って刑事を睨《にら》みつけた。僕は追い詰められたかった。早く捕まえてほしかった。でも同時に、ぎりぎりまで抵抗したかった。もうこれ以外に自分が必死になれるものは何ひとつ残されていなかったからだ。

のちに家裁の審判に呼ばれた刑事は、この時の僕の眼を見て背筋がゾッとしたと話した。自分がどんな眼をしていたのかはわからないが、よほど恐ろしい形相で睨んだのだろう。

刑事を睨みつけながら、ふと母親の顔が頭をよぎった。

このままダンマリを決め込んでいれば、家に帰されるのだろうか？　家に帰って、母親に何と説明すればいいだろう？　また母親に嘘をつかなくてはならない。また母親を騙さなければならない。母親はきっと僕の言葉を鵜呑《うの》みにして、僕を全面的に信じるだろう。僕にはそれが耐えられなかった。

十分ほど睨めっこをして、今度は不意に涙が溢《あふ》れて止まらなくなった。

――認めてたまるか。負けてたまるか――

――認めたい。もう何もかも終わりにしたい――

足の裏から徐々にせり上がる、相反するふたつの感情が、膝、腰、胸、肩と、水と油のように反発し合いグチャグチャに混ざりながらどんどん嵩《かさ》を増し、やがて下瞼《したまぶた》に達して溢《いっ》流《りゅう》したようだった。

これでやっと終わる。もうこれ以上、誰も傷付けずに済む。

「僕がやりました」

僕は自供を始めた。

刑事はまず事件に使用した凶器について質問した。僕は、犯行に使用した凶器はすべて近所の向畑《むこうはた》ノ池《のいけ》という溜め池に捨て、その他にもナイフやハンマーのコレクションを自分の部屋に隠してあると答えた。渡されたＡ４のコピー用紙に自分の部屋の見取図を描いて、どこに何があるのかを説明した。

刑事は調書を取りながら、家で待機中の警官たちと携帯で連絡を取り合い、供述と同時に家宅捜索が行われた。ナイフ、ハンマー、ガラス瓶に入った塩水漬けの猫の舌、近所の工事現場から盗んだポータブル型の釘打機、そして「犯行ノート」。僕の邪悪な宝物が次々と押収された。

それが終わると今度は、土師淳君殺害・死体遺棄事件を起こした当日、五月二十四日の行動について訊かれた。

警察の事情聴取が一段落すると別の部屋に移された。しばらく待たされてから、今度は検事と事務官が入室し、刑事たちは一旦部屋を出た。

検事は中年で背が低く肥満体。事務官は三十代半ばくらい。ノッポで、検事ほどではないが、ややぽっちゃり体型。

太った検事が僕の前にドッカと座り、話し始めた。

「えっとぉ〜、これから調書を取るんやけど、別にやってなかったらやってないでええから、ほんとのことだけ話してくださいね」

人懐っこい口調だった。僕は頷き、さっき刑事に話したのと同じ内容を話した。

ノッポの事務官は、部屋の隅の小さなデスクでノートパソコンを開き、僕の話した内容を僕の話すスピードとほぼ同時進行でパソコンに打ち込んだ。前のめりになりながらカタカタとキーボードを叩いていた。

「それじゃ、今日はこれで終わります。明日また来るから、ゆっくり休んでくださいね」

太った検事はそう言うと、「行こう」とノッポの事務官に声をかけ出て行った。

二人が去ると、外で待機していたさっきの刑事が部屋に入った。僕は気になっていたことを刑事に訊いた。

「死刑の執行はいつですか？」

刑事は笑いながら答えた。

「死刑？　何言うとんねん。おまえはまだガキや。死刑にはならん。その歳であれだけのことやったんや。頭もええし度胸もあるんやろ。ぎょうさん勉強してイチから出直せや。明日から本格的な事情聴取や。なんもかんもしゃべって楽になってまえ。ワシがおまえを救ったる」

頭が真っ白になった。

救う？

何を言ってんだ、このオッサンは？

僕にとっての救いは「死刑」だけだった。リセットボタンのない命がけのゲーム。負ければ絞首刑。自分が手にかけた淳君と同じ苦しみを味わって死ぬ。僕の中で用意されていた結末はそれしかなかった。

油ぎった皿に落ちる一滴の洗剤のように、全身にパッと恐怖が拡散した。

この頃の僕は、「死ぬ」ことよりも「生きる」ことのほうが、何千倍も怖かった。

夜泣き

留置所へ移されると、受付で身長と体重を計り、所持品リストが作成された。すでに家から一週間分の着替えが届いていた。こんな状況で家族とつながっていることがたまらなく辛かった。

所持品リストにサインをすると独房へ通された。独房の広さは六畳ほどで、角には壁で覆われたトイレがあり、トイレの壁には中の様子が見えるように六十センチ四方ほどのアクリル板が嵌《は》め込まれ、高い天井の中央あたりには監視カメラが設置されていた。独房の前にはパイプ椅子が置かれ、留置所の係官が二十四時間体制で監視した。

この日から、「夜泣き」がはじまった。夜布団に入ると、涙が止まらなくなる。上を向いたまま、体を強張《こわば》らせ、歯を喰い縛り、壊れた蛇口からだらしなくしたたる水滴のように、一滴また一滴と、涙がこめかみを伝って枕へと流れ落ちた。

今でもネットで普通に見られる十四歳当時の僕の顔写真。あの能面のように無表情な顔が泣くところなど想像しにくいかもしれない。

事実僕は、めったに涙を流さない。「男らしい」というのとは違う。感情全般がとにかく表に出にくい。それは、幼少の頃から僕が培《つちか》ってきた自己防衛テクニックなのかもしれない。

僕は、カタツムリになり損ねた、自分を守る殻を持たないナメクジだった。だから自分を守る殻を、自分の中に作るしかなかった。危険を察知すると、自分の内側に作りあげた分厚い殻の中に逃げ込むのだ。怒りや悲しみなどの剥き身《むみ》の感情は表に出さず、緊張すればするほど、落ち着いて振る舞うのが習い性《しょう》になっていた。

でもこの夜は、次から次へと数珠繋《じゅずつな》ぎに流れ出す涙を止めようがなかった。

僕は痛みに耐えられなかったのかもしれない。「痛みを感じられないことの痛み」に。人間としての不能感に。

人を殺しても何も感じない自分が、怖くてたまらなかった。

戦争で腕を失った兵士が、存在しないはずの腕の痛みを感じる「幻肢痛」という症状があるように、僕もまた、事件を起こすことで木端微塵《こっぱみじん》に吹き飛んだはずの「人間」の一部が、痛みを訴えていたのだろうか……。

次々と凶行に手を染めながら、自分の内部から人間的な感覚が失われていくのを感じていた。針で刺したような小さな穴から、徐々に空気が抜け出て萎《しぼ》んでしまった自転車のタイヤのように、弾力を失った僕の心は、どんな出来事にも、どんなはたらきかけにも、決してバウンドすることはなかった。

自分は世界じゅうから拒絶されている。

本気でそう思った。勤勉な郵便配達人のように花から花へと花粉を届ける健気《けなげ》なモンシロチョウを見ても、アクリル絵の具で塗り潰《つぶ》したようなフラットな青空や、そこに和紙をちぎって貼り付けたような薄く透きとおった雲を見ても、そのすべてが僕を蔑《さげす》んでいるように感じた。美しいものすべてが憎かった。眼に映るすべての美しいものをバラバラに壊してやりたかった。この世にある美しいものは悉《ことごと》く、この醜く汚らわしい自分への当てつけに他ならないと感じていた。

僕は病んでいた。とても深く。「精神病か否《いな》か」という次元の問題ではない。〃人間の根っこ〃が病気だった。

翌日から本格的に取り調べが始まった。日中は自らが行った地獄絵図のような犯行のディテールを淡々と供述し、夜布団に入るとほとんど儀式のように夜泣きがはじまる。二、三日で眼の周りの皮膚が赤く爛《ただ》れ、ヒリヒリと痛んだ。

生きるよすが

留置所の独房には洗面所がなかった。朝と夕方、指定の時間に扉が開けられ、独房を出てすぐ右側の洗面所で、背後に係官の気配を感じながら十五分以内に洗面と歯磨きを済ませる。

一連の凶行に及んでいる間、僕は鏡を見ることが億劫《おっくう》だった。精神医学でいうところの「醜形恐怖《デスモロフォビア》」という症状を発症していたようだ。鏡に向かうと、自分の顔が映画『プレデター』に出てくるクリーチャーのように、口の周りの皮膚がガバっと裂けて大きく拡がり、牙を剥《む》き出した醜い化け物の姿に変貌する様子がありありと視《み》えた。自身の攻撃性や、無意識下で感じていた自己嫌悪や罪悪感がヴィジュアル化され、それがそのまま鏡に映し出されたのかもしれない。その症状は留置所にいる間もずっと続いた。

なるべく鏡を見ないようにそそくさと洗面と歯磨きを済ませ、すぐ独房に戻った。週二回の入浴の際には電気カミソリと鏡が手渡されるが、それも「いりません」と断り、まだ産毛のような薄く柔《やわ》い髭は伸び放題だった。

昼食後には運動の時間がある。これは断っても半強制的に運動室へ連れ出される。運動室は独房よりはいくぶんゆったりとした十畳ほどの広さで、床も壁もすべてコンクリート。壁の高さは二メートルほどで、吹きさらしの天井には逃走を防ぐためにフェンスが張り巡らされていた。

運動室へ連れ出されても、僕はなるべく陽《ひ》のあたらない隅へ行き、しゃがみこんで膝を抱くというお決まりのポーズをとって、今にもキノコが生えてきそうな陰湿なオーラを撒《ま》き散らした。

見かねた年配の係官が、

「おいおい、体操ぐらいしたらどないや。ちょっと立ってみぃ。ほれ」

と言って僕の手を取り、立ち上がらせた。係官の歳は五十前後。赤茶けた皮膚、盛り上がった眉骨にぐりぐり眼玉。一角獣さながらに先端を尖らせた白髪のリーゼント。

僕は急に立たされて立ち眩《くら》みを起こし、クラクラとコンクリートの壁に凭《もた》れかかったまま動けなくなった。

「ほらな、ぜんぜん動かへんから身体おかしなっとるやん」

そう言って彼はもう一度僕の手を取ろうとした。僕は今度はその手を振り払い、壁に背を付けたままズルズルとしゃがみこんだ。腰に手をやった一角獣は「ふぅ〜……」と長い溜息をつき、僕と目線を合わそうと腰を屈め、その角が僕の額にくっつくくらいに顔を近付けた。

「ええか、坊主。おまえがどない思とるかはしらんけどな、わしらは取調官とはちゃうねんぞ。おまえを懲《こ》らしめようとしとるわけやない。おまえの世話係や。おまえの身体を心配しとるだけなんや。ちょっとは言うこと聞いてくれてもええやろ？　ここではまだええかもしらんけど、そぉやって変に我を通しとると、これからの生活辛なるぞ？」

「…………」

無反応。ようやく諦めたのか、一角獣は立ち上がって運動室の入口扉の前に戻り、「やれやれ」というように腕を組んだ。

彼は僕のことを気に懸《か》けているようだった。独房の壁に凭れ、一日じゅう体育座りを決め込む僕に、

「たまには甘いもんも食いたいやろ？」

と言って林檎《りんご》を差し入れてくれたこともあった。

「果物は嫌いです」

ぶっきらぼうに拒絶しても、懲りずに今度はスナック菓子を持ってきた。僕が無視して

いると、

「ほな置いとくぞ。食いたかったら食えな」

そう言って差し入れ口から独房の中にお菓子を置いていった。僕は彼が持ってきたものに一度も手をつけていない。

彼と、他に四人の係官がローテーションしながら二十四時間体制で僕を監視した。事件の大きさや、僕がまだ少年だったこともあり、ここで自殺されたらシャレにならなかったのだろう。

三十歳前後のスキンヘッドの係官は、絵に描いたような「関西人」で、一日じゅう独房の前のパイプ椅子に座っているのがヒマで仕方ないのか、今にもずり落ちそうな格好で椅子に腰掛け、両脚を投げ出し、ほとんど房の壁と一体化している無反応な僕におかまいなく、見た映画やパチンコやガールフレンドの話を関西弁でまくし立てた。

二十代半ばくらいの小柄な係官は、背筋をピンと伸ばしてパイプ椅子に座り、体勢を変えようともせずに緊張した面持《おもも》ちでじっとこちらを見ていた。

三十代半ばくらいの背がひょろ長い係官は、よく椅子に座ったままウトウトして、他の房の扉の開け閉めする音でビクッと眼を覚ますと、教師に居眠りを注意された中学生のように気まずそうな顔をして椅子に深く座り直した。

二十代前半くらいのいかにも女性にモテそうな彫りの深い端正なハーフ顔の係官は、長く生えた二本の脚を優雅に組み、膝の上に両の掌をそっとクロスさせ、自分の容姿に似合うポーズをよく心得ているようだった。彼は僕がトイレに入ろうとすると気を遣ってか、椅子から立ち上がりどこかよそへ行った。

彼らは皆おしなべて親切だった。僕には彼らのその親切心が〝屈辱〟でならなかった。

僕は憎まれたかった。罵倒されたかった。痛めつけられたかった。恐れられたかった。

それなのに、いったいこのザマは何なのだ？

他人の善意が煩《わずら》わしかった。気を遣われることさえ不愉快だった。

自分の体調だとかこれから先のことだとか、骨の髄から〝どうでもいい〟と思っていた。

他人が自分に向ける悪意の量以外に、自分の存在を測る物差しを持っていなかった。

他人に拒絶され、否定されることで、自分の醜さを受容し、肯定することができた。

他人から浴びせられる侮蔑や罵倒によってのみ、自分が浄化されていく気がした。

僕は野球選手の名前も、テレビタレントの名前もほとんど知らなかった。当時の僕にとってのスターは、ジェフリー・ダーマー、テッド・バンディ、アンドレイ・チカティロ、エドモンド・エミル・ケンパー、ジョン・ウェイン・ゲイシー……。

世界にその名を轟《とどろ》かせる連続猟奇殺人犯たちだった。映画『羊たちの沈黙』の公開を皮切りに九十年代に巻き起こった〝連続殺人鬼《シリアル・キラー》ブーム〟に僕も乗っかり、友達の家に揃っていた『週刊マーダーケースブック』や、本屋にずらりと並んだロバート・K・レスラー、コリン・ウィルソンの異常犯罪心理関係の本を読み耽《ふけ》った。

クラスの男子が好きなアイドルのプロフィールを覚えるように、僕はキャラの立った殺人鬼ひとりひとりの少年期のトラウマ、犯行の手口、死体の処理方法、逮捕されたきっかけ、裁判の経過などを片っ端から頭に詰め込んだ。クラスの女子たちがジャニーズとのデートコースを何パターンも考えている間、僕は人を殺す方法を何パターンも考えた。

同級生たちが芸能人やスポーツ選手になるのを夢見るように、僕は〝殺人界のトリックスター〟になることを夢見た。僕も彼らのように人々から恐れられたかった。怪物と呼ばれたかった。

「怪物」と呼ばれ、ひとりでも多くの人に憎まれ、否定され、拒絶されることだけが、僕の望みであり、誇りであり、生きるよすがだった。

池

七月十一日。

警察のマイクロバスに乗せられ、殺害現場となったタンク山、事件に使用したすべての凶器を捨てた向畑《むこうはた》ノ《の》池《いけ》をまわり実況検分を行った。

向畑ノ池は水がほとんど抜き取られ、ザリガニやオタマジャクシやウシガエル、クサガメやフナが犇《ひし》めき合っていた。

僕と同じでこの池の他に居場所のなかった、汚水にまみれた無数の生き物たち……。その光景を眼にした時、最後の〝生き場〟を奪われたこの哀れな生き物たちと自分の姿がダブって無性に悲しくなり、その日の取り調べは一言も話せなかった。ムスッとした表情でダンマリを決め込んでいると刑事がキレた。

「お前なんやその態度はぁ！　もうええわ、ブチ込んどけ！　自分のやったことちょっとは反省せえ！」

独房に戻され、その日は一歩も外へ出ることはなかった。

冷たい壁に凭《もた》れ、脚を投げ出し、思い返した。タンク山や、向畑ノ池、入角ノ池《いれずみのいけ》のほとりで、大好物だった赤マル（マールボロ）をふかし、ユーミンの「砂の惑星」をエンドレスリピートで聴きながら、独り過ごした静謐《せいひつ》な時間を。

誰にも立ち入られることのない、自分だけの聖域。この世界のどこにも属することができない自分の、たったひとつの居場所。その聖域が侵されたことに、聖域が侵されているのに何もできない無力な自分に、どうしようもないやるせなさを感じた。

僕にとってあの池は何だったのだろう。なぜわざわざ、犯行に使用したナイフ・ハンマー・ノコギリなどの凶器を、すべてあの池に沈めたのだろう。まるであの池に何かを託すように……。

池のすぐ隣は公園で、周囲には民家もある。決して人目に付きにくい場所ではない。僕の中で、「何か」がつながっていたのだ。一連の事件と、この池が自分の中に喚起《かんき》させる「何か」が。

小学生の頃、仲の良かった友達とよく向畑ノ池にザリガニを捕りに行った。輪切りにしたチクワに凧《たこ》糸を結び、池の中に糸を垂らすと、面白いほどポンポンとザリガニが釣れた。「少年A」といえば、無口で友達もなく、だいたい家に籠もってひとりで過ごす〝ヒッキー〟なイメージが定着しているかもしれないが、実際の僕は家でゲームや読書をするより、外で友達と遊ぶほうが好きな子供だった。毎日のように近所の公園で、数人の友達と缶蹴りや鬼ごっこに興じ、日が暮れる頃にはみんなでジャングルジムによじ登って夕陽を眺めた。

夕陽を見られる時間は短く、あっという間に柔らかな夜の闇が、ペーパークラフトのような友が丘の街並を優しく包み込んだ。眠りにつく子供に、母親がそっとかける毛布のように。潮が充ちるように、またたく間に夜が充ちてゆく。

僕は子供の頃、暗闇が怖かった。ひとりっきりでその暗闇に呑まれてしまうと、もう二度と家へ帰れなくなる気がした。日暮れの公園で友達と別れ、母親の待つ家へ駆け足で帰って行った子供の頃の自分。生協前の横断歩道。信号が切り替わらないのがもどかしく、何度も何度も歩行者用押しボタンを押した。青信号になると一目散《いちもくさん》に走った。息を切らせ、脇目もふらず、無我夢中で暗い坂道を駆け上り、駆け下りる。家の明かりが見えると、ほっとして泣きそうになる。玄関へ続く石段をひとっ飛びしてドアノブに手をかける。鍵はいつも開いていた。靴を脱ぐとキッチンから「おかえりぃ」と母親の声がする。その一言で、ついさっきまでの恐怖感が嘘みたいに消えた。のちに「モンスター」と呼ばれるようになる僕にも、確かにそんな時代があった。

友が丘には集合住宅が点在し、場所によってA棟、B棟、C棟……とアルファベットで分けられ、僕の生活圏内にはI棟まであった。

小学校入学時から仲の良かったアポロ君は、僕の家から歩いて十五分ほどの集合住宅に住んでいた。彼とはよくお互いの家を行き来し、一緒に漫画を描いたりして遊んだ。

アポロ君にリコーダーの吹き方を教えてもらったことがあった。アルトリコーダー、ソプラノリコーダー、僕は両方吹けなかった。音楽の授業でリコーダーを吹く時には、僕はいつも音を出さずに指パクで誤魔化した。ある時アポロ君に、実はリコーダーが吹けないのだと打ち明けた。アポロ君は「俺が教えたるわ」と言って、学校帰りに近所の公園でリコーダーの秘密特訓をしてくれた。でも結局、アポロ君のレッスンの甲斐《かい》もなく、僕は最後までリコーダーが吹けずじまいだった。

その公園のツツジの茂みは僕とアポロ君の「秘密基地」だった。二人でダンボールを敷いて寝そべり、ツツジの花を捥《も》ぎ取って、雌蕊の裏から蜜を啜《すす》った。お菓子とはまったく違う、爽やかなあの蜜の甘さ。子供の頃はたいてい皆やっていたのではないだろうか。

僕もアポロ君もダウンタウンが大好きだった。彼らの番組を録画したビデオをよく一緒に見て過ごした。

ダウンタウンは関西の子供たちにとってヒーローだった。「ダウンタウンのごっつええ感じ」が放送された翌日には、みんなで彼らのコントのキャラを真似して盛り上がった。

他の同級生たちがどう見ていたのかは知らないが、僕がダウンタウンに強く惹きつけられたのは、松本人志の破壊的で厭世的な「笑い」の底流にある、人間誰しも抱える根源的な「生の哀しみ」を、子供ながらにうっすら感じ取っていたからではないかと思う。にっちもさっちもいかない状況に追い詰められた人間が「もう笑うしかない」と開き直るように、顔を真っ赤にして、半ばヤケっぱちのようにギャグを連射する松本人志の姿は、どこか無理があって痛々しかった。彼のコントを見て爆笑したあとに、なぜかいつも途方もない虚しさを感じた。

アポロ君の両親は離婚し、彼は父親と、歳の離れた大学生の兄と三人で暮らしていた。アポロ君の父親は建設現場の作業員で、真っ黒に日焼けし、背が高く、筋骨隆々だった。

アポロ君は父親から暴力を振るわれていた。ある時、顔に痣を作ったアポロ君が、溜め息混じりに僕にこぼした。

「昨日、親父に首絞められてん。ほんま、殺されるかと思ったわ」

暴力を振るわれた翌朝には必ずアポロ君の机の上に千円札が置かれているらしかった。父親なりの「ごめんなさい」だったのだろう。

アポロ君の母親は時々アポロ君の団地を訪ねていた。ある日アポロ君の家に遊びに行くとアポロ君の母親がいて、アポロ君と僕に料理を作ってくれた。メニューはロールキャベツと、デザートにチョコレートムース。とても美味しかった。

アポロ君の母親はスラっと背が高く、髪はゆるくパーマをかけた茶髪のロングヘアー。切れ長の眼をした和風美人で、色白の顔に赤のルージュがよく映えていた。アポロ君はロールキャベツを口に含んだまま、学校での出来事や、普段僕と何をして遊んでいるか、嬉しそうに母親に話した。アポロ君の母親は優しい微笑みを浮かべながらアポロ君の話に耳を傾けた。

でもそんなスタンド・バイ・ミーな時期は長くは続かなかった。学年が上がればクラスも変わり、一緒に遊ぶメンツも変わってくる。アポロ君は少し反抗的なところもあったが、根が明るく社交的で、男女問わずに人気があり、教師たちからも可愛がられた。彼はいつも輪の中心にいた。

アポロ君はいくら新しい友達が増えても、相変わらず僕を「アズキぃ〜」とあだ名で呼び、よくちょっかいを出してきた。苗字をもじった〝アズキ〟というのが僕のあだ名だった。それなのに僕は、アポロ君の周りに人が集まれば集まるほど、彼がどこか遠くに行ってしまったように感じた。彼のいる明るい場所に、自分は属することができない。あんなにも無防備に笑えない。

僕は、大人への階段を上がっていく同級生たちを尻目に、何も考えずに毎日を楽しんでいた頃の思い出に退行するように、タンク山や向畑ノ池や入角ノ池にひとりで入り浸《びた》るようになった。

それぞれの儀式

事件当時僕は、ポータブルCDプレイヤーと赤マルを持って、よくひとりでタンク山、向畑ノ池《むこうはたのいけ》、入角ノ池《いれずみのいけ》を散策した。自分の中で、この三つの場所は〝三大聖地〟だった。これらの場所では、美しいものを美しいものとして、素直に受け容れられた。

雨上がりのタンク山の美しさは壮絶だった。雨を啜《すす》って湿り気を帯びたセピア色の腐葉土が、雲間から降り注ぐ陽の光のシャワーをそこかしこに弾き散らし、辺り一面、小粒のダイヤを鏤《ちりば》めたように輝いて、僕の網膜を愛撫した。

向畑ノ池では、そよ風に嘗《な》められ小刻みに痙攣《けいれん》する水面《みなも》に、池のぐるりを取り囲む樹々の木の葉の隙間から、我先に飛び込んだわんぱくな木洩れ陽《こもびも》たちが泳ぎまわり、サイケデリックな光の帯がゆらめいた。

夏になれば、大量発生したウシガエルのオタマジャクシがこの池の面《も》を埋め尽くす。夏の陽《ひ》に射られ、煌《きら》めく尾を靡《なび》かせながら、水中に蠢動《しゅんどう》するその無数の黄金の玉は、太陽より放たれた精子《スペルマ》かと思われた。その中の一匹が、池の奥深くへと還ってゆき、やがてこの神秘的な池が巨大な光の胎児を身篭《みごも》るさまを、僕は徒《いたずら》に夢想した。

僕は池のほとりに独り立ち、この天と地の密やかな房事《ぼうじ》を、両親の寝室を覗《のぞ》き視《み》るような罪悪感さえ憶えながら、恍惚とした心地で何時間でも飽くことなく見詰め続けた。

向畑ノ池の隣は公園だった。公園の一角に円形の広場があり、南側の端の四角いテーブルのまわりには円柱型のセメントの椅子が四つ据え置きされていた。その先の急斜面の丘は入角ノ池を取り囲む森へと繋がる。その場所はニュータウンの突端部《エッジ》であり、十四歳の僕にとっての世界の突端《エッジ》でもあった。僕はここから見える景色が大好きだった。

視ているだけで眼底が痙攣するような、白銀にギラめく立体的な太陽が、その真下を游《およ》ぐ雲の魚群を陽光の銛《もり》で串刺しにし、逆光で黒く翳《かげ》った森のそこかしこに、幾筋もの光の梯子《はしご》が降りていた。毳毳《けばけば》しく輝《て》り狂う太陽に染められた空は、アルミホイルのような金属的な光沢を帯び、視神経を圧迫した。森の彼方にひろがる明石海峡は、堕《お》ちてきた日光の嬰児《みどりご》らを揺り籠《かご》のようにあやし、その向こうには蜃気楼のようにうっすらと、淡路島のシルエットがおぼめいていた。

虫一匹もいないのではないかと思わせる閑静なニュータウンと、原初の森の記憶をとどめる鬱蒼《うっそう》とした入角ノ池の対比は強烈だった。それはあたかも僕の無機質な外見と、その裏に潜《ひそ》む獣性を投影しているかのような風景のコントラストだった。両極端な〝ジキル〟と〝ハイド〟が鬩《せめ》ぎ合いながら同居する僕の二面性は、〝人工〟と〝自然〟がまったく調和することなく不自然に隣り合う、このニュータウン独特の地貌《ちぼう》に育まれたのかもしれない。

入角ノ池のほとりには大きな樹があり、樹の根元には女性器のような形をした大きな洞《ほら》がバックリ空いていた。池の水面に向かって斜めに突き出た幹は先端へいくほど太さを増し、その不自然な形状は男性器を彷彿《ほうふつ》とさせた。男性器と女性器。アダムとエヴァ。僕は得意のアナグラムで勝手にこの樹を〝アエダヴァーム（生命の樹）〟と名付け愛《め》でた。

水面にまで伸びたアエダヴァームの太い幹に腰掛け、ポータブルCDプレイヤーでユーミンの「砂の惑星」をエンドレスリピートで聴きながら、当時の〝主食〟だった赤マルをゆっくりと燻《くゆ》らすのが至福のひとときだった。

さあ漂いなさい　私の海の　波の間に〜
ただ泣きじゃくるように　産まれたままの　子供のように

（松任谷由実「砂の惑星」）

僕は当時、自分がなぜこんなにもこの曲に惹かれるのか考えてもみなかった。心が共振するものには、必ず共振する理由がある。ユーミンが何を想いこの曲を作ったのかはわからない。でも、今になって冷静にこの曲を聴くと、歌詞にもサウンドにも、過剰なまでの〝母性〟を感じる。子供を持たないユーミンが自分の子供をイメージしたのかもしれない。あるいは、彼女が自分の母親を想い浮かべて作った曲なのかもしれない。

人は誰でも潜在的に「胎内回帰願望」を持つ。布団にくるまると安心する。お風呂に浸《つ》かると気持ちいい。皆、無意識のうちに心地よかったであろう母の子宮に還っているのではないだろうか。

僕にとって〝池〟は〝母胎の象徴〟であり、ユーミンの「砂の惑星」は胎児の頃に聴いた母親の心音だった。池のほとりでユーミンの「砂の惑星」を聴くと、母親の子宮に還っているような無上の安心感を憶えた。

僕は淳《じゅん》君の遺体の一部を、アエダヴァームの根元の洞に一晩隠した。

今思い返すとどうにも解せない行動だ。取り調べでは「人目につかない場所でゆっくり鑑賞したかった」と供述しているが、殺害現場となったタンク山から入角ノ池へ行くには、一旦山を降りて街中を歩かなければならない。まだ事件は発覚していないものの、公開捜査は始まっており、街じゅう至るところで警官や機動隊、ＰＴＡや学校関係者が「行方不明」となった淳君を捜しまわっていた。現に遺体の一部を持ってタンク山から入角ノ池へ向かう途中、池を囲む雑木林の中で僕は三人組の機動隊と出くわし、言葉を交わした。「人目につかない場所で」などと冷静に考えて行動したなんてあり得ない。たとえ無意識であったにせよ、どうしてもアエダヴァームの根元の洞に向かわなくてはならない切羽詰った理由があったのだ。

女性器と男性器のイメージを重ね合わせたアエダヴァームは、僕にとって〝生命の起源〟だった。その生命の起源を象徴する樹の根元の洞に、僕は遺体の一部を隠した。僕は、心のどこかで淳君を〝生き返らせたかった〟のではないか。

ふざけた事をほざくなと思われるかもしれない。しかし、極限状態に置かれた人間というものは、時に正常な頭ではとうてい思い浮かばない不可解な行動に出ることがある。

英会話講師リンゼイ・アン・ホーカーさん殺害容疑で指名手配され、二年七か月ものあいだ全国を転々としながら逃げ続けた市橋達也は、その極限状態の逃走生活の中で、「被害者を生き返らせるため」に四国八十八箇所のお遍路巡りを行った。

光市母子殺害事件の犯人である元少年は、母子を殺害後、母親の遺体を「生き返らせるため」に屍姦し、子供の遺体を「ドラえもんに助けてもらうため」に押入れに隠したのだと話した。

世間や被害者の感情を逆撫《さかな》でするような彼らの不謹慎な言動を、僕は彼らと同じ（人間であることを捨てきれなかった未熟な）一殺人者として、一笑に付すことができない。

彼らがどこまで本気でそういった「よみがえりの儀式」を行ったのかはわからない。自分自身についてさえ、何を考えていたのかは未だによくわからない。

ただひとつ言えることは、僕は、流出した十四歳当時の写真に写っているとおりの、あの能面のようにのっぺりとした無表情な顔で犯行に及んだのではないということだ。

ドストエフスキーの『罪と罰』に、主人公ラスコーリニコフのこんな独白がある。

犯罪者自身がほとんどひとりの例外もなく、犯罪の瞬間に意志と理性の喪失《そうしつ》ともいうべき状態におちいって、その代りに、子供じみた異常な小心浅慮のとりことなる
（ドストエフスキー『罪と罰』米川正夫訳）

まさにそのとおりだ。人を殺すという極限行為に及んだ人間が、冷静に正気を保っていられるほうがおかしい。僕とて例外ではない。一連の犯行に及んでいるあいだ、僕は、常に怯《おび》え、焦り、混乱していた。心の中ではパニックを起こし泣き叫んでいた。僕は冷酷非情なモンスターでも、完全無欠の殺人マシーンでもなかった。

憐れなほど必死だった。

ちぎれた錨《いかり》

僕の人生が少しずつ脇道へと逸れていくことになった最初のきっかけは、最愛の祖母の死だった。

一九九二年四月。僕は小学五年に上がったばかりで、十歳だった。

僕はおばあちゃんっ子で、親兄弟と出かけることより、祖母の部屋でテレビを見たり、話をしたり、かるたをしたり、祖母と二人で過ごすことのほうが好きだった。祖母はこの世で唯一、ありのままの僕を受け容れ守ってくれる存在だった。僕は親に叱られると、祖母の部屋へ逃げ込み、祖母は事情も聞かずただ黙って僕を抱きしめ庇《かば》ってくれた。

祖母が作る料理やお菓子が僕は好きだった。つくしのバター焼き。ゴーヤの天ぷら。おじや。とろろ丼。よもぎ団子。スイートポテト。自分で発酵させて作った瓶詰めのヨーグルト。どれも美味しかった。

小さい頃、祖母とよく一緒にお風呂に入った。祖母は最後の仕上げにいつも、石鹸をすりこんだタオルで僕の顔をごしごしとこすった。祖母があんまり強くこするものだから、本当は顔が痛くて仕方なかった。ぎゅっと眼を瞑《つむ》り、「早く終わってほしい」と我慢していた。

僕がストーブのそばで遊んでいて、太腿の外側を火傷した時、祖母は大慌てで庭で育てていたアロエを取ってきて、ハサミで皮を剝《む》き、火傷にそっと当ててくれた。

祖母と二人で近所の公園に遊びに行った時、僕は祖母に木登りを見せようと、公園にある木の中でいちばん高い木に登り始めた。「祖母が見守ってくれている」という安心感が僕を勇敢にし、僕は一度も後ろを振り返らずにあっという間に木のてっぺんに辿り着いた。ワクワクしながら下を見降ろし祖母のほうを見ると、祖母が自分の顔の前で両手をラッパの形にして大声で叫んだ。

「Aー！　危ないから早ぉ降りてきて！　お願いやから！」

僕はがっかりした。てっきり褒めてもらえると思ったのに……。気が抜けて木のてっぺんでしばらく呆然とした。すると今度は祖母が自分の顔のあちこちを触りだし、軽く錯乱しはじめた。さすがに悪いことをしてしまったと思い、僕は急いで木を降りると祖母に駆け寄り抱きついた。祖母は嗚咽《おえつ》しながら僕を抱きしめた。僕は自分が「愛されている」と感じた。僕が何をしても、しなくても、祖母は僕を好きでいてくれる。ただそこにいるだけの僕を抱きしめてくれる。言葉など必要なかった。僕は祖母に謝り、二人で手をつないで家路についた。

僕には小学校に上がる前の記憶がほとんどない。はっきりと残っているのは、まだ生まれて間もない頃に、祖母の背に負ぶわれ、安心しきって眼を瞑り、祖母の暖かな背中に全身を委《ゆだ》ねているという記憶だ。

今でも思うことがある。

もし、もう何年か長く祖母が生きていたら、僕は事件を起こさずに済んだのだろうか。それとも、祖母が生きていても僕は同じことをしたのだろうか。

祖母が生きていても事件を起こしたのであれば、僕が道を踏み外す前に祖母が他界したことはせめてもの救いだった。

僕が何をしようと、祖母は僕を全身全霊を懸け愛してくれたと思う。その愛の深さに、僕のほうが耐えられたはずがない。

子供の頃の写真をたった一枚だけ持っている。他の写真はすべて処分したが、この一枚だけはどうしても手離せなかった。マッサージチェアーに黒い着物を着た祖母が腰掛け、白いランニングに白い短パンを履いた僕が祖母の膝の上に跨《またが》り、祖母のほうに背中を凭《もた》せかけ、無防備に両腕をだらんと下げている。祖母は僕が膝からずり落ちないように、左手で僕の胸をしっかりと抱きおさえ、右手を僕の右腿にそっと添えている。祖母は両の薬指に金の指輪を嵌《は》め、節くれだった指は爪の付け根のあたりから急に折れ曲がっている。働き者の証、〝マムシ指〟というやつだ。僕はファインダーから眼を逸らし、遠くを視《み》ている。口は真一文字に結ばれ、笑顔はない。撮影日は「86 6 22」。四歳になる少し前だ。

こうして幼き日の写真を眺め入る時、僕は、

「自分にも無邪気で純真な子供時代があったのだな」

と甘い感傷に浸《ひた》ることができない。

子供の頃から特徴的だった、ガラス玉を思わせる無機質な光沢を帯びたその眼に映し出されていた真新しい世界を想像してみる。たとえばその頃住んでいた団地の敷地内の砂場でひとり、父親手作りの木製のトラックや飛行機の玩具で遊ぶ、丸顔で色白の男の子を想像してみる。次の瞬間、男の子が手に持つトラックや飛行機の玩具はナイフとハンマーに変わり、砂場のあちこちからポツポツと血が滲み出して真っ赤な水溜りになり、その水溜りがどんどん拡がって砂場全体が四角い血の池に変貌する。

そのふっくらと柔らかそうな幼い手に想いを馳《は》せると、のちにその手が捥《も》ぎ取ることになる、自分と同じように祝福されて生まれ、愛されて育まれたふたつの幼い命のことを考えざるをえなくなる。

その弱々しく小さな手が、のちに多くの人々の心の中に生み出したあまりに重く大きな悲しみを、考えざるをえなくなる。

いったい何をどう間違えれば、そこからわずか十一年で、あそこまでものの見事に人の道を踏み外すことができるのだろう。

どこでボタンを掛け違えたのか。

いつ、どのタイミングで足を滑らせ、運命のエアポケットにずっぽり嵌まり込んでしまったのだろうか……。

僕にも他の人たちと同じように、〃無邪気で純真な子供時代〃があったのだろうか。光合成に勤《いそ》しむ植物のように陽《ひ》の光を全身に浴び、走ることを覚えたばかりの子犬のように毎日楽しく駆けまわり、まっすぐに笑い、まっすぐに泣いていた子供時代が。

今となってみると、自分の〃子供時代〃など幻にすぎないような気がする。祖母の膝に跨る、まだ「少年A」になる前の三歳の自分。その幼い顔には曰《いわ》く言い難い不吉な〃翳《かげ》〃が刻み込まれているように感じる。僕はその写真に写った自分の顔に「死相」を視た。眼は洞窟のようで、杳《くら》い瞳に灯るあるかなきかの白い小さな光点は、肉体の海の奥深くへ沈みゆく生命の残照を思わせる。

時折、こんな想いに囚われる。もしかしたら生まれてから十四歳までの、どんなに小さな楽しいことも、悲しいことも、そのすべてが、自らの犯した罪にひとつ残らず繋がるよう、あらかじめシステマティックに組み込まれていたのだろうか。すべてが呪われていたのだろうか。いいことも、悪いことも、身の上に起こったあらゆる出来事が、あの取り返しのつかない破局へと向かう邪悪な水路を形成していたのだろうか……。

僕には「思い出」などない。

ただ、一さいは過ぎて行きます。

自意識教の聖典『人間失格』でそう書いた太宰治のように、彼岸の視点に立ってクールなニヒリストを気取ることなど、僕にはできない。

僕には「過ぎ去ったこと」などひとつもない。どんなに細かく砕かれ散乱した記憶の欠片《かけら》にも、軽々しく〃思い出〃のラベルを貼り付け、そのラベルに日付を書き記して片付けることなどできない。この世に産み堕《お》とされた最初の一日を、僕は今この瞬間も生きている。そのようにしか認識できない。何度陽が沈み、何度陽が昇ろうと、ずっとずっと繋がってきた決して明けることのないこの一日を、僕は死ぬまで生き続けていくのだろう。


小学四年の終わり頃、体調がすぐれない祖母が入院することになった。

祖母は物に執着しない人だった。必要最低限の生活用品と着替えを入れた黒い小振りな革のバッグを小脇に抱え、

「A、ええ子にしときや。すぐ戻ってくるさかい」

と言って僕の頬を優しくつねった。祖母は白いフリルのブラウスの上に、胸元に花柄の縄編み模様をあしらったグリーンのニットセーターを着、指先から仄《ほの》かに線香の香りがした。

母親が運転する車に乗り込み、祖母は病院へ向かった。

しばらくは親に叱られても祖母のところへ逃げられない。いい子にするしかなかった。

祖母に名前を呼んでもらえたのはこれが最後だった。

祖母が最後に呼んだ僕が、祖母が最後に見た僕が、祖母が最後に触った僕が、あの時の僕で、本当によかった。

「ええか、A。大きくなったら、正義の味方になるんやで。弱きを助け、強きを挫《くじ》くねんで」

祖母はよく、僕にそう言った。曲がったことが大嫌いな人だった。僕は、祖母がもっとも憎むことをした。祖母が何度となくその腕に抱いてくれた、この身体で。祖母が何度となく握ってくれた、この手で。

入院から一週間ほど経って、祖母は意識不明の重体に陥った。ただの検査入院だったはずが、突然の事態に僕は慌てふためいた。

容態が落ち着いて面会の許可がおりると、母親と一緒にお見舞いに行った。

「おばあちゃん！」

母親より先に立って集中治療室のスライドドアを開け、祖母を呼んだ。

自分の発した声が空中でかたまり、そのまま床に落ちて音もなくバラバラに砕け散ったような気がした。糞尿と薬品の臭いが入り混じった未知の悪臭が鼻をついた。病室のベッドの上には、「知らない人」がいた。

〝その人〟は薄い藍色のバスローブのようなものを着せられ、鼻と口を人工呼吸器が覆い、喉には痰を吸い取るためのチューブが挿《さ》し込まれていた。瞳孔は開いたまま瞬《まばた》きもしない。顔には薄茶色の斑点があちこちに浮かび、ほとんど白髪のなかった黒髪はまだらな灰色に変色していた。

僕はショックのあまり声が出なくなり、怖くて祖母のそばに近寄れなかった。愛する者の眼に自分が映っていない恐怖……。

結局、これが生きている祖母を見た最後となった。

祖母が入院したまま小学五年に上がった。

ある日の授業中、父親が教室にやってきた。教室の入口で父親と担任の教師が深刻な面持《おも》ちで何事か話し、父親の後ろに隠れるように、弟二人が眼を腫《は》らして泣いている。僕は瞬時に事体を察知し、全身が硬直した。担任が僕を呼びに来たが、僕は椅子から立ち上がれなかった。見かねた父親が教室に入ってきた。一歩　二歩　三歩……。到底受け容れられない現実が、容赦なく僕のほうへ歩み寄る。

――嫌だ！　それだけは嫌だ！　絶対に嫌だ!!――

僕は父親から――耐え難い現実から――顔を背けるように俯《うつむ》き、椅子に座ったまま啜《すす》り泣き始めた。父親はそっと僕の頭に手を置き、それから僕の手を取って教室から連れ出した。父親に連れられ弟二人と家に帰る道すがら、四人とも一言も口をきかなかった。

家に帰り、祖母の部屋に通された。紫の生地に鶴と松の木の反復模様をあしらった祖母の使っていた布団の中に、かつて「祖母だった」物体があった。顔はむくれ、眼窩《がんか》は落ち窪み、唇のあちこちに小さな切り傷がついている。喉にはチューブを挿し込むために切られた傷跡が生々しく残り、ぴったり閉じられた黒ずんだ瞼《まぶた》には無数の細かい皺が寄り、灰色に変色した髪は銅線の束のように弾力がなく、僕が触れると指の跡をくっきりと残した。

これが祖母なのか？

入院の日、僕の両頬を両手でつねり「すぐ帰ってくる」と言って出て行った祖母と、今自分の眼の前にあるこの物体が、「同じ人」だとはどうしても認められなかった。

祖母はどこかよそへいるのだ。これが祖母であるはずがない。そんなことがあっていいわけがない。

だが眼の前にいるのは確かに僕が愛し、僕を愛してくれた祖母だった。冷たく固い、得体のしれない物体と化した、祖母だった。その口はもう二度と僕の名を呼ぶことはない。その手はもう二度と僕の頬を優しくつねってはくれない。

自分の内部から何かがごっそりと削り取られたのを感じた。確かな消失感が、そこにあった。僕はこの時はっきりと悟った。「悲しみ」とは、「失う」ことなんだと。

僕はひどく困惑した。外からはわかりにくかったかもしれないが、ほとんどパニック状態だった。だが周囲の者たちは、皆一様に、僕の眼からは冷淡なくらい冷静に、この状況を受け容れているように見えた。僕はそのことにいっそう戸惑った。僕にはぜんぜん「仕方のないこと」ではなかったからだ。僕には、「祖母のいない世界」を受け容れるだけのキャパシティなどなかった。自分が立っている半径一メートルのスペースだけを残して世界じゅうの地面が崩れ堕ち、自分ひとりだけがぽつんと取り残されてしまったような恐怖と不安と孤独を感じた。僕を包み込んでいたこの世界は巨大なビニール袋のようなもので、そのビニール袋の〝クチ〟が祖母だった。その〝クチ〟が今まさに閉じられ、密封された〝世界の袋〟は僕を閉じ込めたまま真空パックされるように急速に収縮し始めた。

自分にとっては「世界の破局」のような状況を淡々と受け容れていく周囲の者たちや、自分の前から突然姿を消した祖母にさえ、言い知れぬ怒りがこみあげた。

人はどんなに辛いことがあっても、信じられるものを〝錨《いかり》〟にして危険な波に押し流されることなくこの世界と自分を繋ぎ留めておくことができる。その〝錨〟を失った時、魂は漂流船となる。

祖母という唯一絶対の〝錨〟を失い、僕の魂は黒い絶海へと押し流されていった。

原罪

あなたはこれから神父になる。

そして僕はこれから、精神鑑定でも、医療少年院で受けたカウンセリングでも、ついに誰にも打ち明けることができず、二十年以上ものあいだ心の金庫に仕舞い込んできた自らの〝原罪〟ともいえる体験を、あなたに語ろうと思う。

僕や、僕の引き起こした事件を最も特色付けているのが〝性的サディズム〟というキーワードだ。それは、僕にとっていちばん他人に触れられたくない、「自分は他人と違い異常だ」という劣等感の源泉でもある。

精神鑑定書には次のように書かれている。

未分化な性衝動と攻撃性との結合により持続的かつ強固なサディズムがかねて成立しており、本件非行の重要な要因となった。

最愛の祖母の死をきっかけに、「死とは何か」という問いに取り憑《つ》かれ、死の正体を解明しようとナメクジやカエルを解剖し始める。やがて解剖の対象を猫に切り換えた時にたまたま性の萌芽が重なり、猫を殺す際に精通を経験する。それを契機に猫の嗜虐的殺害が性的興奮と結び付き、殺害の対象を猫から人間にエスカレートさせ、事件に至る。

実に明快だと思う。ひとかけらの疑問も差し挟む余地がない。しかしどうだろう？　もしもあなたが、多少なりとも人間の精神のメカニズムに興味を持ち、物事を注意深く観察する人であるならば、このあまりにもすんなり「なるほどそういうことか」と納得してしまう、〝絵に描いたような異常快楽殺人者のプロフィール〟に違和感を覚えたりはしないだろうか？

確かに祖母の死は僕にとって最初の〝死目撃体験〟であり、僕の精神が崩壊するトリガーのひとつであったことは否定しないが、人間の精神はダイナマイトによるビル解体のように、たったひとつの出来事を起爆剤に整然と崩れ去るものではない。

事件当時僕は十四歳だった。仮にいくら異常な素質があったのだとしても、年端もいかぬ少年の「攻撃性」と「性衝動」が、そんなに簡単に、ほとんど成り行きのようにあっさり「結合」してしまっていいものだろうか？

僕は、本当はナメクジやカエルを解剖し始める前に、精通を経験した。その時のことだけは死ぬまで誰にも話さないつもりだった。でもこうして祖母のことを思い返しているうち、このエピソードを省いて自らの物語を語る意味などないように思えた。

罪悪とはマトリョーシカ人形のようなもの。どんなに大きな罪も、その下にはひとまわり小さな罪が隠され、その下にはさらにもうひとまわり小さな罪が隠され、それが幾重《いくえ》にも重なった「入れ子構造」になっている。僕が抱える〝罪悪のマトリョーシカ〟のいちばん奥に隠された小さな小さな罪の原型を、ここに懺悔《ざんげ》したい。

祖母が亡くなってからも、僕はよく祖母の部屋へ行き、祖母と一緒に過ごした想い出に浸《ひた》った。祖母のいなくなった部屋は残酷なほど静かで、僕の喪失感を否が上にも倍増させた。それでも祖母の部屋へ行かずにはいられなかった。

ある時、祖母の部屋の押し入れの扉を開けた。押し入れは二段式で、上の段に祖母が使っていた布団があり、下の段の奥には祖母の着物が二着、きれいに折り畳まれ仕舞われていた。その着物のすぐ横に、祖母の愛用した電気按摩器が置かれていた。肩凝りのひどかった祖母は、よくこれを使って自分の肩をマッサージしていた。僕もその按摩器を使って祖母の肩や脚をマッサージしたことがあった。

僕はおもむろに押入れから電気按摩器を取り出した。全長は三十センチほど。グリップ部は黄色で直径は缶コーヒーくらい。先端はお椀《わん》型に広がり、身体に当てる部分は肌色の弾力のある素材でできていた。そこに触れると祖母の温《ぬく》もりや感触がまだ残っているように感じられた。8の字に束ねられたコードを解《ほど》き、プラグをコンセントに挿《さ》し込む。祖母の位牌の前に正座し、電源を入れ、振動の強さを中間に設定し、祖母の想い出と戯れるように、肩や腕や脚、頬や頭や喉に按摩器を押し当て、かつて祖母を癒したであろう心地よい振動に身を委《ゆだ》ねた。

何の気なしにペニスにも当ててみる。その時突然、身体じゅうを揺さぶっている異質の感覚を意識した。まだ包皮も剥《む》けていないペニスが、痛みを伴いながらみるみる膨らんでくる。ペニスがそんなふうに大きくなるなんて知らなかった。僕は急に怖くなった。

不意に激しい尿意を感じた。こんなところで漏らしては大ごとになる。だがどうしても途中でやめることができなかった。苦痛に近い快楽に悶える身体。正座し、背を丸め前のめりになり、按摩器の振動にシンクロするように全身を痙攣《けいれん》させるその姿は、後ろから見れば割腹でもしているように映ったかもしれない。

遠のく意識のなかで、僕は必死に祖母の幻影を追いかけた。祖母の声、祖母の匂い、祖母の感触……。涙と鼻水とよだれが混ざり合い、按摩器を摑む両手にボタボタと糸を引いて滴り落ちた。

次の瞬間、尿道に針金を突っ込まれたような激痛が走った。あまりの痛さに一瞬呼吸が止まり、僕は按摩器を手放し畳の上に倒れ込んだ。

数分気絶していたようだった。眼を開けると電源が入れっぱなしになった按摩器の振動が畳を這《は》って頬に伝わってきた。

体勢を起こし、按摩器のスイッチを切ると、しばらく呆けたように宙を見つめた。下着のなかにひんやりとした不快感がある。「血でも出たのかもしれない」。そう思い下着をめくると、見たこともない白濁したジェル状の液体がこびりついていた。

性的な知識など何もなかった。だが自分がしたことが、とんでもなく穢《けが》らわしい行為であるというのは、直感的に感じ取った。

僕は祖母の位牌の前で、祖母の遺影に見つめられながら、祖母の愛用していた遺品で、祖母のことを想いながら、精通を経験した。

僕のなかで、〝性〟と〝死〟が〝罪悪感〟という接着剤でがっちりと結合した瞬間だった。

その後も、僕は家族の眼を盗んでは、祖母の部屋でこの〝冒涜《ぼうとく》の儀式〟を繰り返した。祖母の位牌の前に正座し、線香をたてる。祖母との想い出を記憶の冷凍庫からひとつひとつ取り出して解凍し、電気按摩器のスイッチを入れ、振動の強さを最大に設定し、それを切腹さながらペニスに突き当てる。〝穢らわしいことをしている〟という罪悪感で快楽が加速する。

もう気絶こそしなかったが、射精する瞬間にはいつも〝激痛〟が伴った。それは後年になっても続き、「射精に激痛が伴う」ということだけは精神科医に話したことがある。医者は「性欲に対する罪悪感の表れ」だと言った。確かにそうなのかもしれない。僕は強いストレスを感じるとよく熱を出したり肌が荒れたりする。普段から表に感情を表さないせいもあるのだろうが、おそらく〝精神〟と〝肉体〟のシンクロ率が他の人たちよりも高いのだろう。

僕は祖母の死や祖母との想い出を〝陵辱〟することで、祖母を失った悲しみや喪失感を無意識に〝快楽〟に挿《す》げ替えようとしていたのかもしれない。そうでもしなければ祖母の死を、祖母のいない辛い現実を乗り越えられなかったのだろう。

僕は、自身の精神的筋力ではとうてい持ちこたえることができない重量の悲哀を、この身を裂くほどの強烈な快楽をドーピングすることによって無理やり持ち上げようと試みたのだ。だがその快楽のドラッグはあまりに中毒性が強く、もうそれなしでは生きていけなくなるほど僕の心と身体を蝕《むしば》んだ。

この時はまだ、自分がどれほど恐ろしい「龍の尻尾」を摑んでしまったのか、知る由もなかった。

ちょうどこの頃から、僕はきれいに洗ったマーマレードの空き瓶にナメクジを集め始めた。「心象風景」ならぬ「心象生物」という言葉がもしあったなら、不完全で、貧弱で、醜悪で、万人から忌み嫌われるナメクジは、間違いなく僕の「心象生物」だった。彼らの全身を覆う薄く透きとおった粘膜は、色素が薄く敏感な僕の皮膚を表し、落ち着きなくあちこちにキョロキョロ振れる挙動不審な彼らの触角は、絶え間なく周囲の大人の顔色を窺《うかが》う臆病な僕の眼とそっくりだ。

部屋の明かりを消し、布団に潜《もぐ》り込んで瓶の中に懐中電灯を当てると、彼らを守る頼りない半透明の粘膜の鎧が人工的な光の中に溶けこみ、内臓のシルエットがぼんやりと浮かび上がった。

腹部を下から見ると、薄い粘膜の裏を無数の小さなローラーが尻尾から頭に向かってせわしなく転がっているような規則正しいメカニックな波状運動が確認できた。あんなにのろい歩みが、彼らからしてみると全力疾走なのかと思うと、なんだか微笑ましかった。

この愛らしい生き物のことをもっと知ってみたい。ピンセットで一匹を取り出し、かまぼこ板の手術台にうつ伏せにのっけて、なるべく死なせないように頭部と尻尾の先端ギリギリにマチ針を刺して固定する。さすがに痛いようだ。狂ったように激しく触角を出し入れしている。体の右側面に空いた呼吸孔が大きくなったり小さくなったり、いかにも「息してます」といった様相だ。よく見ると頭部から三分の一程度のところまで、退化した甲羅のようなものが覆い被さっている。ゆっくり、丁寧に、カミソリでその甲羅を剥《は》がしてゆく。甲羅をめくるとそこにはもう黄色と黄緑色の内臓器官が透けて見えた。触角がピンと伸びきったまま動かなくなった。案外簡単に死んでしまうようだ。そのまま二本の縦縞模様のちょうど真ん中あたりにカミソリを入れ切り開いていく。上部のほうには白い器官があり、そこから尻尾の先に向かってぎっしりと内臓が詰まり、黒い糞のようなものも見える。僕はその、えもいわれぬ〝実体感〟に身震いした。外から見るとあんなにも不完全で半透明な身体を持つ彼らも、しっかり「生き物」だったのだ。

命に触れる喜びを感じた。殺したかったのではない。自分を惹きつけてやまない「命」に、ただ触れてみたかった。

祖母の部屋で背徳の快楽に惑溺《わくでき》しながら、幼少期特有の好奇心からナメクジを解剖する。そんな日々が続いた。

その年の冬、祖母の愛犬で、僕も可愛がった柴犬の「サスケ」が、祖母の後を追うように老衰で死んだ。

愛する者たちを次々に奪っていく〝死〟を前に、僕は余りにも無力だった。

サスケは体長四十センチ前後。靴のブラシのように硬く短い漆黒の外毛と、綿のように柔らかな純白の内毛に覆われていた。両眼の上には眉のような白い斑点があり、顔の印象をキリッと引き締めている。胸にはロールシャッハテストで一枚目に見せられる蝙蝠《こうもり》図版のような形をしたシンメトリックな模様が、黒い毛のなかに白く浮かび上がっていた。

サスケは警戒心が強く、いつもどこか怯《おび》えた眼をしていて、初対面の人には懐かなかった。

そういうところが自分と似ている気がした。サスケも仲間意識を持ってくれたのか、祖母の次に僕に懐いているようだった。

サスケはまったく水を怖がらなかった。庭にある金属製のタライにお湯を溜め、そこにサスケを入れてシャンプーしてあげると、気持ちいいのかよくオナラをした。

祖母が入院した頃からサスケも体調を崩し始め、散歩用のヒモを見せてももう以前のように飛びついてこなかった。

祖母が亡くなってからサスケの容態もますます悪化し、餌もわずかしか口にしなくなった。

自分のお皿に入った餌を近所の野良猫が横取りしにきても、知らん顔してぼんやり遠くを眺めている。お腹は水が溜まって膨れ上がり、まっすぐ歩けなくなっていた。ボケも始まって、何かに憑かれたように急に土を掘り出したり、鼻がズル剥けになるほど庭の石畳に顔面をこすりつけたりした。その姿はあまりにも憐れで、痛々しく、僕はいっそこの手で死なせてあげたらサスケはどんなに楽だろうかとさえ思った。でも僕にはできなかった。助けることも、殺してあげることもできず、ただ、惨《みじ》めな姿を晒《さら》し日に日に弱っていくサスケを、黙って見守ることしかできなかった。

十二月の寒い朝にサスケは死んだ。母親が泣きながらサスケの死体をダンボール箱に入れた。僕は泣かなかった。

「おばぁちゃんのとこへ行ったんやわ」

母親が言う。なんてくだらない感傷だろう。サスケはただ死んだのだ。自らの生を噛み締める牙をなくし、呼吸への渇望をなくし、醜態を晒しながら死んでいったのだ。それ以上でも以下でもない。眼の前にはただ〝物体化した死〟が転がっているだけだ。

「眠っているように穏やかできれいな死に顔」というものを、僕は認めることができない。僕は誰より間近で死の匂いを嗅いできた。死の舌触りを知っている。〝死〟が「穏やか」で「きれい」なはずがない。だからこそ死は愛おしい。

愛するものを立て続けに失い、自分の中に、何か名伏し難い〝歪《ゆが》み〟が生じていた。身体の中に真っ黒い風船が膨らみ、内側から内臓を圧迫した。

食欲がなくなったサスケの餌はたくさん残った。

母親は「もったいない」と言って、サスケが死んだあともサスケのお皿に餌を入れて、サスケの小屋の横へ置き、近所の野良猫たちに食べさせた。僕にはそれが気に入らなかった。まるっきり、これっぽっちも、気に入らなかった。サスケの餌はサスケのものだ。サスケが死んでもサスケのものだ。

冬休みに入る少し前に、最初の一匹目の猫を殺した。その時の感触、光景、音、匂いを、今でも鮮明に記憶している。

その日も、いつもと同じように級友のダフネ君と、学校帰りに家のすぐ近くの「三角公園」に寄り道した。

ダフネ君は転校してきたばかりだった。色白で、眼が細く、オカメのお面のようにふっくらした頬が印象的だった。彼はひょうきんなお調子者で、当時週刊少年ジャンプで人気のあった『変態仮面』という漫画に出てくる、女性の下着を頭に被ると強くなるヒーローのポーズを真似てよくみんなを笑わせていた。

ダフネ君の父親は中小企業の社長で、彼の家は僕が住む友が丘よりもワンランク上の高級住宅街にあった。

彼は学校がある日は毎朝僕を迎えにきて、インターフォンを押すとすぐ家の脇に隠れ、僕が玄関から外に出ていくと、急に横から飛び出して「ワッ！」と言って僕を驚かした。

そして僕はびっくりしたフリをする。そんなことを毎朝飽きもせず挨拶がわりに繰り返した。

ある時学校へ向かう道すがら、ダフネ君はランドセルの中からA4の画用紙を一枚取り出し、恥ずかしそうに僕に差し出した。

「アズキぃ、これな、昨日描いてんけど……。あげるわ」

画用紙には、彼が好きだった漫画『南国少年パプワくん』に登場する「イトウくん（巨大なカタツムリ）・タンノくん（下半身が人間で上半身が魚の半魚人）」という、気持ち悪いサブキャラコンビが描かれていた。その絵には消しゴムで何回も消しては描き、消しては描きを繰り返した奮闘の痕跡が垣間見えた。決して上手な絵ではなかったが、彼の健気《けなげ》な気持ちが嬉しかった。

「上手いやん。ありがとう」

そう言って絵を受け取った。

漫画の主人公ではなく、わざわざゲテモノのサブキャラコンビを描いたところにダフネ君一流のセンスを感じた。

子供が好きな漫画のキャラを挙げる時、そこには多かれ少なかれ自己イメージが投影される。そう考えると、彼が描いた「イトウくん・タンノくん」は、彼が無意識のうちに彼と僕とを投影したキャラクターだったのかもしれない。スポットライトを浴びることのない、グロテスクな日陰者コンビ。学校でダフネ君は明るい人気者で通っていたが、僕は密かに彼が、かなり無理をして「道化を演じている」ことを見抜いていた。転校生特有のプレッシャーもあったのかもしれない。面白い奴だと思われないと仲間外れにされる、と。あるいは、明るい転校生にありがちな過去のいじめ体験があったのかもしれない。僕は彼の道化を指摘したことは一度もなかったし、彼が自分で話してくれる以上のことを質問したこともなかった。道化を演じる者にとって、それを見抜かれ指摘されることがどれほどの脅威かわかっていた。祖母が亡くなってからめっきり口数が減り、クラスの中でも孤立しつつあった僕は、ダフネ君からすれば安心できる相手だったのかもしれない。僕は他のクラスメイトたちのように彼にギャグを強要しなかったし、彼と普通に会話するだけで充分楽しかった。

本当は内向的で、人と接することが苦手なダフネ君は、自分とどこか似ている気がした。能面のような顔の自分と、オカメのお面のような顔のダフネ君。仮面の種類は違っても、仮面を着けていることは同じだった。お互いにうっすら仲間意識を持ったのか、ダフネ君と僕はすぐに打ち解けて仲良くなった。学校が終わると毎日のように二人で近所の三角公園に寄り道し、時間を忘れて学校生活や好きな漫画やテレビの話をした。

公園でダフネ君と漫画談義に花を咲かせ、日が暮れかかった頃に帰宅した。

当時住んでいた家は白壁の四角い鉄筋二階建て一軒家。正面に向かって右端に玄関、家の左脇に駐輪場があり、玄関から駐輪場までの間には五メートルほどのブロック塀の花壇がある。花壇には糸杉や薔薇がランダムに植えられ、糸杉は花壇を囲むフェンスの網を幹の中に取り込んで道路側にせり出し、薔薇は刺だらけの茎をフェンスに絡め、フェンスの網の隙間から真っ赤な花びらをこちらに突き出して、まるで檻の中のライオンが外にいる人間に襲いかかろうとしているような様相だった。それらの植物は、観賞や装飾のために植えられているというよりも、人を近付けないために飼われた猛犬のような雰囲気を醸し出していた。建物全体の外観にしても、味気ない直方体に無愛想な白塗りの壁。この家にはどこかしら周囲を拒絶するような近寄り難さがあった。

そう感じるのは、自分の内面をこの建物に投影していただけなのだろうか。たとえば、数人の人が同時に赤い林檎《りんご》を見たとする。「赤」であるという認識は同じでも、それが「どんな赤」なのかは人それぞれ違う。ある人にとっては「血のような赤」なのかもしれないし、またある人にとっては「赤ん坊のほっぺのような赤」かもしれない。人は眼の前に拡がる風景を〝見る〟時、自分の外側にあるものを見ているように感じるが、実はこの眼に映る風景は、自分の内側に拡がっている風景なのかもしれない。

家に帰り着き、玄関を上がると、母親は弟たちを連れて夕飯の買い出しにでも出たのか、家の中は沈没船のようにしんと静まりかえり、まるで邪悪な何者かが、誰にも気付かれずひっそりと僕の体内に卵を産みつけるために時を止めているかのようだった。

僕は電気もつけず、ランドセルの片側のベルトを肩に引っ掛けてだらしなくぶら下げ、居間の窓からぼんやり庭のほうを眺めた。

どうでもいい話だが、僕は「ランドセル」というものを心の底から嫌悪した。初めてランドセルを背負った時に、心に足枷《あしかせ》を嵌《は》められたような、何とも言えぬ圧迫感を感じた。なぜみんな同じ形なのか。なぜ女の子は赤で男の子は黒だと勝手に決められるのか。そして何よりも、なぜみんなそのことにさしたる疑問も持たず当然のようにすんなり受け容れてしまうのか。

考えてみればランドセルとは日本にしかない文化だ。過剰な〝平均志向〟や〝異物排除〟という日本特有の民族性を、これほど象徴するアイテムは他にないのではないか。幼少の頃から周囲に馴染めず、絶えず自分を〝異物〟だと意識していた僕にとって、「ランドセル」は〝異物〟である自分を他と平らになるように摩り潰《つぶ》すロードローラーのように映ったのかもしれない。

家の裏手には五×十五メートルほどの横長の庭があり、庭の両端には植物が好きだった祖母が植えた松・杉・シュロ・イチョウ・アロエなどが並び、ちょっとしたジャングルだった。

庭の半分は祖母が野菜を育てていた畑になっていて、庭のほぼ中央には赤レンガを積み上げて造った自家製の焼却炉があった。

庭全体をぐるりと取り囲むように排水用の溝が設けられ、隣家との堺はブロック塀で仕切られていた。

ふとサスケの小屋に視線を移すと、近所の野良猫の一匹が、サスケのお皿にてんこ盛りになっている餌の山に顔を突っ込んで貪《むさぼ》っていた。

――殺そう――

唐突にそう閃《ひらめ》いた時、僕の心と身体を支配したのは、「サスケの死を侮辱された」という、子供らしい純真な〝怒り〟の感情ではなかった。

風邪の引き始めのような、あの全身の骨を擽《くすぐ》られるような、いても立ってもいられなくなる奇妙に心地よい痺れと恍惚感……。

間違いない。〝ソレ〟は性的な衝動だった。

僕はランドセルを降ろし玄関から一旦外に出て、花壇と家の間を通って家の脇の駐輪場へ行き、乱雑に折り畳まれ端へ放置された自転車の雨除けシートの上に載っけてある半分に割れたコンクリートブロックを拾い上げ、裏庭へ廻った。忍び足で、後ろからゆっくりと猫に近付いた。呼吸を止め、自分の頭上に翳《かざ》すようにコンクリートブロックを両手で振りかぶり、猫の背中めがけ思い切り投げつけた。力みすぎたのか、ブロックは猫の背中の左側を掠《かす》めるように当たった。猫は声もあげず、地面を這うように猛スピードで逃げ出し、そのまま庭の隅の溝へ落ちた。

溝のほうへ行くと、猫は溝の中をのたうつようにヨロヨロと歩き、二メートルほど進んでその場にへたりこんだ。僕の手応えのなさとは裏腹に、猫は左の脇腹あたりから夥《おびただ》しい出血をしていた。「大変なことをしてしまった……」途端に後悔の念に駆られた。

僕は恐る恐る、自分が傷つけてしまった猫に近付いた。僕がそばへ寄ると猫は背中の毛を逆立て、人間が怒った時のように鼻に皺を寄せながら剥き出しの牙の隙間からガス漏れのような音を出して僕を威嚇《いかく》した。よく見ると美しい猫だった。僕は猫にも美醜があることを知った。アメリカンショートヘアだろうか。全体をシルバーグレイの毛が覆い、細くしなやかな身体のそこかしこにアクセントをつけるように、部族的なトライバル・タトゥーを思わせる左右対称のエッジの効いた黒いストライプ模様が走っている。野良猫とは思えぬほど毛並みは艶やかで、なだらかな曲線を描くハート型の小さな顔に埋め込まれた七宝焼きのような一対《いっつい》の眼はいちばん下が琥珀色、その上にエメラルドグリーン、最後に黒い瞳が載った三色構造で、自分の全存在を賭けてこの世界から僕を締め出そうとするように瞳孔を米粒大に細く小さく狭めていた。

僕は猫の傷の状態をみようと指を震わせながら猫のほうへ手を伸ばす。僕の手が攻撃の射程距離に入るやいなや、猫は人間がどれほどの訓練を積んでも遠く及ばないような肉食動物特有の無駄のない電光石火の早業で、僕の手を思いきり引っ掻いた。これまで感じたことのない鋭い痛みが手から全身に走り抜け、僕は静電気に感電したように反射的に手を引っ込めた。右手の甲に刻まれた四本の爪痕からみるみる血が滲み出る。

――バンッ――

何かが破裂する音が聞こえた。僕の中で日に日に邪悪な膨らみを増していた真っ黒い風船が、この眼の前の美しき獣のいまわの一撃によって、今まさに破裂したのだ。黒い風船に充満していた猛毒の気体が、全身の細胞のひとつひとつにまで染み渡り、僕を別な生き物に変異させていく。

これまで吸っていた空気とはまったく別種の空気が身体の中に流れ込む。陸で呼吸することを覚えてしまった魚のような気分だった。何かを悟ったように急速に恐怖の波が引き、かわりに不穏な平静さが全身をすっぽり包み込んだ。

僕はカラクリ人形のようにギクシャクと立ち上がり、一旦家の中へと入った。自分がこれからすることをはっきりと自覚した。僕はその幼い手で、パンドラの匣《はこ》を抉《こ》じ開けようとした。

祖母という錨《いかり》を失った僕の魂はこちら側の世界の岸辺を離れ、どんどんどんどん沖へ流されて、最果ての黒い海に逆巻く邪悪な波に呑み込まれた。破滅の予感に胸が高鳴り、なんだかワクワクした。

二階の自室へ行き、牛乳パックで作った鉛筆立てに無造作に挿《さ》し込まれたカッターナイフを抜き取り、ふたたび猫のもとへと向かった。

僕が視界に入ると、ぐったりしていた猫は息を吹き返したようにまた威嚇のポーズをとった。僕は猫の前にしゃがみ、カッターの刃を目一杯に突き出し、猫の両眼を狙い横一文字に切り裂いた。人間の赤ん坊のような掠れた悲鳴が耳を劈《つんざ》く。鳥肌が立った。もうブレーキをかけても間に合わない。猫の左眼は無事のようだったが、まともに刃が入った右眼は水風船を割ったように破裂して眼球の中の水分が飛び散り、もう瞼《まぶた》を開けなかった。

激しく暴れる猫に引っ掻かれるのもかまわず、僕は左手で猫の首を摑み、そのまま締め上げた。猫の身体は思いのほか温かく、頸動脈が波打つ感触が掌にしっかり伝わった。足元に落ちていた十センチほどの枝切れを拾い、苦しそうに開いている猫の口に突っ込んだ。そのまま猫を持ち上げて立ち上がり、ブロック塀に猫の背中を押し付け、脇腹の傷をカッターナイフで抉《えぐ》った。猫は苦しそうに手足をじたばた動かし、苦悶のあまり放尿した。僕は咄嗟《とっさ》に尿を避けようと猫の首を絞めていた左手を離した。猫がふたたび溝へ落ちる。溝の中で猫はまだ放尿し続けた。もうかなり衰弱し、さっきのように上半身だけを起こす余力もない。自分の身体から流れ出た血液と尿が混ざった黄土色の液体を掻き分けるように、猫はなおも手足をばたつかせている。美しい猫が、自分の手で醜く破壊されていく。胃のあたりを無数の小さな蟻が這いまわっているような擽ったさを感じた。心臓が大音響でドラムを叩く。その演奏に呼応するように、〝もうひとつの心臓〟が首を擡《もた》げた。僕は勃起していた。ふたつに分裂した心臓の片割れが内臓を掻きわけ股の間から迫《せ》り出してきたようだった。ズボンの下で、指で弾けばパンクしそうなほど大きく膨張したペニスが、脈動に合わせて引き攣《つ》るように、ビクン、ビクンと小刻みに前後に振れた。

猫はそのまま放置しても間違いなく死んだだろう。だがそれは絶対に許されない。自分で傷つけた命は、自分が最後まで責任を持って破壊しなくてはならない。どういう理屈なのか、妙な責任感に囚われた。僕はついさっき猫に投げつけたブロックを拾って、猫の小さな顔に覆い被せるように置いた。そしてそのブロックを、体重をかけ、力いっぱい踏みつけた。ゴキュっと頭蓋の砕ける小さな音が鳴り、猫の動きが止まった。命が潰れる感触が、ブロック越しに足の裏に伝わった。僕はその感触を確かめるように、狂ったように何度も何度もブロックを踏みつけた。ひと踏みごとに興奮が募《つの》り、ペニスの芯がハンダゴテのように発熱した。次の瞬間、熱く腫《は》れ上がったペニスに激烈な痛みが走った。尿道から釣り針を引っこ抜いたような痛みだった。射精していた。僕はその場に蹲《うずくま》り、額に汗を浮かべて痛みが治まるのを待った。痛みが引くとゆっくり立ち上がり、猫の顔からそっとブロックをどけた。猫の顔は、もうそれが「猫だった」ことさえ判別できないほどグチャグチャだった。砕けた頭蓋骨からピンク色の脳がはみ出し、左の眼球が顔の奥までめり込み、血まみれの剥き出しの歯茎から突き出た四本の長い牙は、てんでバラバラの方向に折れ曲がっていた。

僕は猫の尻尾を摑んで死体を溝から引っ張り上げた。猫の潰れた頭部を見つめながら、不思議な充足感が身体じゅうに充ちた。

祖母やサスケ。愛する者たちを次々に奪っていった死。自分には手も足も出せない領域にあった死を、自分の力でこちら側に引き寄せた。死をこの手で作り出せた。さんざんに自分を振りまわし、弄《もてあそ》んだ死を、完璧にコントロールした。この潰れた猫の顔は、死に対する自分の〝勝利〟だ。

生きているということは、痛みを感じるということ。

痛みを与えるということは、命に触れるということ。

命に触れること。

死を手懐《てなず》けること。

あの頃の僕にとってそれに勝るエクスタシーなどなかった。

卵から孵《かえ》ったばかりのヒヨコは、最初に見たものを自分の親だと認識し、その後をついて歩くようになるという。〝刷り込み《インプリンティング》〟と呼ばれるこの習性は、人間の〝性欲〟にも当て嵌まるのではないだろうか。目醒めたばかりの〝性〟は、ちょうど卵から孵ったばかりのヒヨコのようなもの。つまり、生まれて初めて性的オーガズムを体感した時に、最も強く意識したものが、その人の〝性衝動《ヒヨコ》〟の親となり、「性的刷り込み《インプリンティング》」がなされる。

祖母の部屋で生まれて初めての射精を経験した時、卵を突き破って出てきたばかりの僕の〝黒い性衝動《ヒヨコ》〟の眼の前には、〝死〟が大手を拡げていた。

そうやって僕は知らず知らずのうちに、死を間近に感じないと性的に興奮できない身体になっていた。

〝性〟と〝死〟は、通常であればロミオとジュリエットのように、いかに強く惹かれ合おうとその間に立ちはだかる種々雑多の障壁によって、決して結ばれることはない。だが何かの拍子に歯車が狂い、この邪悪な恋が成就すれば、本物の〝悲劇〟が生まれる。

フロイトによれば、人間の欲動は「生の欲動」と「死の欲動」のふたつに大別されるという。

「生の欲動」が自己保存や生殖行為など〝生きる〟ことに根ざした欲動であるのに対し、「死の欲動」は意識的・無意識的に死を求め、死へ向かおうとする欲動である。

「死の欲動」は「胎内回帰願望」とも強く連動しており、自分を生命発生以前の限りなく無に近い状態――つまり母親の子宮内――に回帰させようとする〝退行〟の究極点とも言われている。「すべてを無に帰したい」、その願望は翻って自分をこの世界もろとも滅ぼしたいという破壊衝動に直結することがままある。村上龍著『コインロッカー・ベイビーズ』で、神経兵器〝ダチュラ〟で世界を壊滅させたキクのように。精神分析学ではこれを涅槃原則《ニルヴァーナ・プリンシプル》と呼ぶ。

胎内回帰願望は死の欲動を駆動させるエンジンであり、死の欲動の馬力は胎内回帰願望の強弱によって決定される。

胎内回帰願望とは、実は人が思っているよりずっと血腥《ちなまぐさ》い欲動なのだ。

僕はおそらく、子供の頃から胎内回帰願望が非常に強かったのではないかと思う。例えば物心ついた頃から逮捕されるまで、布団の周囲を取り囲むようにぬいぐるみの山を築き、一日じゅう部屋のカーテンを締め切って眠っていたことがそれを示唆する。年頃の男子がぬいぐるみに囲まれて就寝するなどかなり奇異な光景だが、これは外界からの刺激をシャットアウトし、自分を無条件に守ってくれる〝疑似子宮内スペース〟を形成していたようにも映る。

胎内回帰願望の強い者はしぜん死の欲動も強くなる傾向がある。僕が祖母の死をきっかけにあれほど強力な死の欲動を発動させた背景には、それなりの下地があったのだ。

人は無意識に死へ向かう。これまでに「死にたい」と思ったことが一度もない人間などいるだろうか？

黒板の文字をサッとかき消すように、何の痕跡も残さずきれいさっぱり消えてなくなりたいと思ったことはないだろうか？

変わり映えのしない通勤路、ふといつもと違う道を通って帰りたくなり、何の気なしに入った脇道にぽつんと佇《たたず》む外灯に、ぼんやりと〝死〟が灯っていたことはないだろうか？

死は、ある日突然訪れるものではない。それは眼に見えない微生物のように、ベッドや枕、箸やスプーン、あなたがたった今吸い込んだその空気の中にも潜《ひそ》み、ゆっくりと、規則正しく、この世界を侵食している。もちろん、あなたの髪や肌、血や肉や骨にも、夥しい数の死が含まれている。

何人《なんぴと》たりとも死を切り捨てて生きることはできない。

「死の欲動」は、他人や自分自身への破壊衝動、つまり〝サディズム〟や〝マゾヒズム〟とも密接に関わっている。

攻撃性のヴェクトルが他人に向かうか自分に向かうかの違いだけで、〝サディズム〟と〝マゾヒズム〟はともに「死の欲動」から分離した一卵性双生児なのだ。つまり〝MAD《マッド》なサディスト〟は、同時に〝MADなマゾヒスト〟でもある。僕とて例外ではない。祖母の部屋で初めて射精し、あまりの激痛に失神して以来、僕は〝痛み〟の虜《とりこ》だった。二回目からは自慰行為の最中に血が出るほど舌を強く噛むようになり、猫殺しが常習化した小学六年の頃には、母親の使っていたレディースカミソリで手指《しゅし》や太腿や下腹部の皮膚を切った。十二歳そこそこで、僕はもう手の施しようのない性倒錯者になった。

猫の体にこびりついた尿や血液が少しずつ乾き始め、理科の実験で嗅いだことのあるアンモニア水のような尖《とが》った臭いが鼻の粘膜に突き刺さった。

そのまま猫の死体を祖母が野菜を育てていた畑のほうへ持っていき、祖母が使っていた園芸用のハンドスコップで畑に穴を掘った。祖母が死んで誰も手入れしていない畑のあちこちには、無精ヒゲのようにポツポツと小さな雑草が生えていた。

畑に猫を埋めたあと、しばらく放心したようにその場に立ち尽くした。麻酔から醒めるように、寒さや、猫に引っ掻かれた傷の痛みが、徐々に体に還ってくる。

畑の上に落ち散らばった赤錆色に枯れたイチョウの葉が、木枯らしに抱き上げられ螺旋《らせん》を描きながら空に吸い込まれてゆく。

コンクリートで塗り固めたような重苦しい灰色の冬空は、今にも罅《ひび》割《わ》れ崩れ落ちてきそうだった。

祖母の死から八か月。僕は奈落の底へ続く坂道を、猛スピードで転がり落ちていた。

断絶

祖母が死んだ年の冬、自宅の裏庭で最初の一匹目の猫を殺して以来、僕は猫殺しの快楽に取り憑《つ》かれ、次から次に近所の野良猫を捕まえては様々な方法で殺害した。二匹目からは殺したあとに身体を裂き、手足や頭部をバラバラに切断して家の西側にある谷へ投げ捨てた。

ススキやヨモギなどの枯れ草が谷の地表を覆い、その隙間から、『風の谷のナウシカ』の腐海植物よろしく、綿胞子をかぶったセイタカアワダチソウが、毒々しい冬姿を晒《さら》し、これらの雑草群が谷底に向かってびっしりと生い茂っていた。谷の右側は竹を主とした樹々の立ち並ぶ鬱蒼《うっそう》とした雑木林だった。谷は底へ向かうほどに影が濃くなり、日が落ちる頃には地上に堕《お》ちたブラックホールのような様相を呈した。

――寂寥《せきりょう》の谷――

そう名付けたくなるような、見ているだけで鬱になりそうな暗澹《あんたん》たる風景だった。

あの頃この谷には、腐ったエロ本やコンドーム、イチジク浣腸の空容器、女性用の下着などがあちこちに散乱していた。この谷は神聖なニュータウンの影に潜《ひそ》む、雑駁《ざっぱく》な欲望の廃棄場だった。この街に漂う瘴気《しょうき》が、すべてこの谷へ流れ込んでいるようだった。

小学六年に上がると、猫殺しは更にエスカレートした。殺害から殺害までのピッチが短くなり、手口はますます残虐を極めた。「死を理解するため」というもっともらしい大義名分は消え去り、ただただ殺して解体することが快感だった。

快楽はドラッグと同じで、〝耐性〟がある。一匹また一匹と猫を捕まえ、殺害方法がどんどんグレードアップするのと反比例して、最初の頃のように、理性も思考も倫理も丸ごとブッ飛ぶようなエクスタシーは得られなくなった。中学に上がる頃には猫殺しに飽き、次第に、「自分と同じ〝人間〟を壊してみたい。その時にどんな感触がするのかこの手で確かめたい」という思いに囚われ、寝ても覚めても、もうそのことしか考えられなくなった。

一九九七年三月十六日。

僕は自宅から一・五キロメートル離れた竜が台で二人の女の子をナイフとハンマーで襲った。被害者の二人とは面識がなかった。

ハンマーで頭を殴った彩花《あやか》さん（当時十歳）は、頭蓋骨を陥没骨折する大怪我を負い、意識不明の重体で病院へ運ばれ、そのまま回復することなく一週間後の三月二十三日に亡くなった。彩花さんを襲った直後、別の女の子（当時九歳）の腹部をすれ違いざまにナイフで刺し、全治二週間の怪我を負わせた。

当時僕が住んでいた地域は、それまで事件らしい事件は起こらなかった。この事件はニュースになり、新聞にも載った。

自分のしたことが急に怖くなった。でもいくら時間が経っても、誰も僕がそんなことをしたとは気付かず、拍子抜けした。

生活は何も変わらなかった。異常な行動を起こしても普段通りの日常が続く。あの強烈な違和感は言葉にできない。正常な生活、普段と何ら変わりない日常は、時として一気に狂気を加速させる。

あれは夢だったのか？

僕は現実には何もしていないのか？

どこまでが現実でどこからが現実でないのかわからなくなった。自分が、幽霊か透明人間にでもなったような、虚構の世界を生きているような、どうしようもない気持ち悪さを感じた。夢の中で、「これは夢だ」と気が付いた時の、「明晰夢」の感覚に近いかもしれない。その感覚は日増しに強くなった。

身体の重さを感じない。何を食べても味がしない。感情の動きが鈍くなる。人と話しても相手の声がどこか遠くから聴こえてくる。自分の周りに、眼に見えない大きな亀裂が走り、その裂け目がどんどん拡がって、自分とこの世界がぶっつり切り離されたような断絶感。僕は正気と狂気の谷間に張られた一本のロープの上を、ぎりぎりバランスを保って渡っていた。

事件を起こしてから二週間ほど経った四月上旬、僕は「懲役13年」という文章を書いた。

懲役13年

1.いつの世も…、同じ事の繰り返しである。
止めようのないものはとめられぬし、殺せようのないものは殺せない。
時にはそれが、自分の中に住んでいることもある…
「魔物」である。
仮定された「脳内宇宙」の理想郷で、無限に暗くそして深い腐臭漂う心の独房の中…

死霊の如く立ちつくし、虚空を見つめる魔物の目にはいったい、何が見えているのであろうか。

俺には、おおよそ予測することすらままならない。

「理解」に苦しまざるをえないのである。

2.魔物は、俺の心の中から、外部からの攻撃を訴え、危機感をあおり、あたかも熟練された人形師が、音楽に合わせて人形に踊りをさせているかのように俺を操る。

それには、かつて自分だったモノの鬼神のごとき「絶対零度の狂気」を感じさせるのである。

とうてい、反論こそすれ抵抗などできようはずもない。

こうして俺は追いつめられてゆく。「自分の中」に…

しかし、敗北するわけではない。

行き詰まりの打開は方策ではなく、心の改革が根本である。

3.大多数の人たちは魔物を、心の中と同じように外見も怪物的だと思いがちであるが、事実は全くそれに反している。

通常、現実の魔物は、本当に普通な彼の兄弟や両親たち以上に普通に見えるし、実際、そのように振る舞う。

彼は、徳そのものが持っている内容以上の徳を持っているかの如く人に思わせてしまう…

ちょうど、蝋で作ったバラのつぼみや、プラスチックで出来た桃の方が、実物は不完全な形であったのに、俺たちの目にはより完璧に見え、バラのつぼみや桃はこういう風でなければならないと俺たちが思いこんでしまうように。

4.今まで生きてきた中で、敵とはほぼ当たり前の存在のように思える。

良き敵、悪い敵、愉快な敵、不愉快な敵、破滅させられそうになった敵。

しかし最近、このような敵はどれもとるに足りぬちっぽけな存在であることに気づいた。

そしてひとつの「答え」が俺の脳裏を駆けめぐった。

「人生において、最大の敵とは、自分自身なのである。」

5.魔物（自分）と闘う者は、その過程で自分自身も魔物になることがないよう、気をつけねばならない。

深淵をのぞき込むとき、その深淵もこちらを見つめているのである。

「人の世の旅路の半ば、ふと気がつくと、

俺は真っ直ぐな道を見失い、

暗い森に迷い込んでいた。」

この「懲役13年」は、猟奇殺人関係の本や、映画『プレデター2』から気に入った言葉を抜き出して、順番を並べ替えつなぎ合わせて作成したものだった。自分の中に潜む止み難い殺人衝動に抗おうと、僕なりに葛藤していたのかもしれない。

僕はこの文章を級友のダフネ君に見せ、彼にワープロで清書してもらった。

僕はダフネ君に、自身の虚無的な人生観を語り、自らが行った犯罪をそれとなく匂わせるようなことを言い、猫を殺して性的な興奮を得ていることを告白した。ダフネ君はそれを学校で言いふらし、三月の事件は僕が犯人だという噂が校内を飛び交った。

それからさらに一か月ほど経った五月十四日、学校帰りに見かけたダフネ君を三角公園に誘った。公園のベンチにカバンを置き、僕はひとりで砂場に入った。砂場の真ん中に立ってダフネ君のほうを向き、笑い慣れていないせいで不自然に引き攣《つ》ったぎこちない笑顔を浮かべて、

「なぁ、ダフネ、今から決闘せぇへん？」

と、ブルース・リーのような構えをして、指先をクイ、クイと挑発するように動かし、ダフネ君を砂場に呼んだ。ダフネ君も最初はノリノリで、

「おっ、ええな。やるか」

と、砂場に入りお得意の『変態仮面』のポーズをとって応じた。僕はがら空きになっている彼のお腹を思い切り蹴り上げた。ダフネ君は唸り声を挙げて蹲《うずくま》り、片手で腹部を抑え、もう片方の手をこちらに向けてパッと掌を開いた。ダフネ君の顔は青褪《あおざ》め、こめかみに脂汗が浮いていた。彼は苦しそうに咳き込みながら、

「ちょっ、タンマ、タンマ。本気《マジ》か？」

と言った。僕は答える代わりにポケットから金属製の腕時計を取り出し、ダフネ君によく見せるように、わざとゆっくりとした動作で右手の拳にメリケンサックのように巻きつけた。ダフネ君の表情が変わった。

「俺、もぉ帰るわ」

そう言って砂場から逃げ出そうとするダフネ君の襟首を摑み、時計を巻いた拳で彼の顔や頭を何発も殴りつけた。ダフネ君は大声で悲鳴をあげた。僕は叫び声を発する大きく開いたダフネ君の口にも容赦なく拳を振るった。ビキッと歯が折れる感触が、時計から指へ伝わった。手が痛くなって殴るのをやめると、ダフネ君は嗚咽しながら砂場に膝と手をついて四つん這《は》いになった。僕は今度はベルトに差したナイフを取り出し、鞘《さや》を抜いた。

ナイフを持ってダフネ君の顔の正面にしゃがみ、彼の恐怖心をそそるように、ナイフの峰《みね》を根本から刃先に向かってゆっくりと舐めた。泣きながら呼吸を荒らげていたダフネ君が、急に泣きやんで息を止めた。次の瞬間、彼は素早く上体を起こすと、手に摑んだ砂を

僕の顔面にぶちまけた。

口や眼に砂粒が飛び込んできて、僕は腰が砕けて仰《の》け反《ぞ》るように倒れ込み、顔を抑えた。

ダフネ君はその隙にカバンを公園に置きっぱなしにして家に逃げ帰った。僕は眼を瞑《つむ》ったまま立ち上がり、中腰になって、伸ばした両手を昆虫の触角のようにくねらせ辺りを探りながら砂場のすぐそばにある水道まで行き、眼と口をゆすいだ。

暴力の激しさとはまるで裏腹に、この時の僕はまったく感情が動いていなかった。

僕は何がしたかったのだろう？

今よくよく振り返っても、自分がダフネ君を殴った理由が、本当によくわからない。

「悪い噂を流したからだ」

そう言えば理解しやすいかもしれない。でも僕はダフネ君の性格を誰よりも熟知していた。少しでも変わった話をすれば、彼が黙っていられるはずがなかった。

人間は時に、〝ツクリモノの感情〟を発露させてしまう不可解な習性を持っている。心の奥から素直に湧き出た〝ナマの感情〟が先にあって、いろいろな理屈付けを試みながらそれに振りまわされているうちはまだいい。厄介なのは、自分の脳内で無意識下に生成された〝未確認思考〟が、自分でも思いもよらないような〝感情を伴わない感情〟を発動させ、そのハリボテの感情がまるで自身の中から自然に湧き出たものであるかのように振舞い、肉体の音頭をとっている時である。あなたが普段抱いている怒りや喜びは、本当にあなたの体内から湧き出ている〝純度百パーセント〟の感情だろうか？　そこに〝不純物〟は一ミクロンも混ざっていないと言い切れるだろうか？

僕のこの日の行動には、どこか不自然で、奇妙に〝作為的〟なところがあった。

僕はただ、「ダフネ君を殴るシーン」が欲しかっただけなのかもしれない。言っていることがピンとこないだろうが、一連の事件を起こしている間、僕は無意識のうちに現実の行為を〝フィクション化〟しようと試みていたように思えてならないのだ。まるで現実を舞台に、自作自演の映画を撮影するように。

僕は事件を起こしながら、「怪物映画」を頭の中のビデオで撮っていた。フランケンシュタイン博士よろしく、あちこちから採集した言葉やイメージの断片を繋ぎ合わせ、自分だけの「怪物の物語」を造り上げた。その物語はやがて生命を持ち、僕のコントロール下を離れ、生みの親である僕を喰らって暴れ出した。

ダフネ君を殴った翌日、何事もなかったように登校すると、正門の両脇に生徒指導担当の二人の教師〝ウッディ〟と〝バズ〟が、東大寺南大門の金剛力士像のようにしかめっ面をして立っていた。

僕の足が校門に差し掛かると、ウッディとバズが両側から挟みこむようにズカズカとこちらに近付いた。ウッディが僕の肩を掴んで言った。

「授業はええから、ちょっと来い」

そのまま生徒指導室へ連れて行かれた。カバンを床に置き、パイプ椅子に座ると、長机を挟んだ向かいの椅子に二人の教師も座った。ウッディが切り出した。

「なんで呼ばれたかわかっとおな?」

僕はうんともすんとも言わなかった。ウッディがイライラしながら言った。

「おい、聞いとんのか?　ちょっとこっち向けや」

視線を上げ、ぼんやりとウッディの顔を見た。自分からこっちを向けと言っておきながら、眼が合うとウッディは少しうろたえたように心持ち身体を後ろへ引いた。僕は彼らからすればたいそうやりにくい生徒だったのだろう。学園ドラマに出てくる不良のように感情をぶつけてくるわけでもなく、こちらの言葉に反応も示さず、何を考えているのかわからない。接し甲斐《がい》のあるカワイイ不良たちとは違い、僕のことが不気味で仕方ないようだった。

続いてバズが口を開いた。

「おまえ昨日、ダフネ殴ったやろ?　なんでや?」

「ちょっとケンカしただけです」

バズはさらに問い質す。

「ケンカっちゅうレベルのもんやないぞ。顔じゅう傷だらけで、前歯も折れとったわ。しかもおまえ、ナイフで刺そうとしたそうやないか?　ダフネは殺されるかと思ったて言うとったわ。ヘタしたら警察沙汰やぞ？」

ウッディが言葉を継いだ。

「ナイフなんか持ち歩いとんのか？　何に使うんや？」

「ただの護身用です」

ウッディはさらに追求する。

「今日も持っとんのか？」

僕がまた黙り込むと、ウッディは立ち上がってこちらへ近寄り、僕を立たせると制服の上から腰周りをまさぐり、ベルトに差していたナイフを取り出して机の上に置いた。ウッディは向かいの椅子に座り直して言った。

「こんなん持ち歩いて、人刺して死んでもうたらどないするんや？　取り返しつかへんぞ？」

僕はウッディの眼を真っ直ぐに見て言った。

「蟻やゴキブリを殺しても誰も怒らへんのに、人間の命だけが尊いんですか？　人間を殺すのがそないに悪いことなんですか？」

ウッディとバズは僕の言った言葉の内容よりも、その口調に慄然《りつぜん》としたようだった。彼らは顔を見合わせ、もうこれ以上何を言っても無駄だと思ったのか、僕にそのままここで待っているように言い残し、二人で一旦生徒指導室から出て行った。

彼らは僕の家に電話した。母親はおたふく風邪にかかった三男を病院へ連れて行く矢先で、かわりに会社を休んで病院で定期検診を受けていた父親に母親が電話を入れ、学校へ向かうよう頼んだ。

四十分ほど待たされて、生徒指導室のドアがふたたび開き、二人の教師と父親が入ってきた。父親は悲しそうな眼をして僕の前に立ち、静かに訊いた。

「どないしたんや？　なんでダフネ君を殴ったんや？　大事な友達やったんとちゃうんか？」

父親に詰問され、僕は突然全身が震え出した。

――どうして殴った？　それは自分が聞きたい。自分はいったいどうしたというのだ？　何をしようとしているんだ？――

自分の中で何かが崩れていく。自分で自分をコントロールできなくなっている。それが急に怖くなり、僕は何かの発作のように激しく震えながら、涙が止まらなくなった。さすがの父親も異常な様子を察知し、それ以上は何も訊かず、二人の教師にこう言った。

「すいません。なんかちょっといつもと違う感じなんで、今日は連れて帰ってもいいですか？」

教師たちは了承し、そのまま僕は父親に連れられて、とぼとぼと歩いて家に帰った。家に着くと父親が言った。

「母さん帰ってきたら三人で話するから、着替えて部屋で休んどき」

僕は黙って二階の自室に行った。

昼前に母親が帰宅すると、一階の居間で、母親と父親と僕の三人で膝をつき合わせた。母親が口を開いた。

「ダフネ君を殴ったんやて？　どないしたん？　何があったん？　怒らへんから理由言うてみ？」

僕はぽつりぽつりと話し始めた。

「ダフネが、僕が影で下級生とか身体障害者を殴っていじめとるって根も葉もない噂を流して、そのせいでみんな僕を怖がるようになって、もう悪口を言いふらすのはやめてくれって頼んだけど、それでもやめへんかったから……」

僕はとっさに事実とまったく違うことを言い、今度は意図的にしおらしく泣いてみせた。母親の顔に徐々に同情の色が挿《さ》すのが見て取れた。母親は静かに諭《さと》した。

「そぉか。それはあんたも辛かったな。せやけど、いくら悪口言いふらされても、暴力振るってもうたら、最終的にはあんたが悪者にされてまうねんで。嫌なこと言われて辛かったんやったら、先生に相談でけへんのやったら、お母さんに言うてくれたらあんたの代わりに言ってあげるから。あんたも辛かったやろうけど、ダフネ君かて怖い思いしたんやから、そこは男らしくきっちり謝って、ケジメ付けなあかん。お母さんとこれから謝りに行こ」

話が終わると、母親と一緒にダフネ君の家を訪ねた。インターフォンを押すとダフネ君の母親が出てきた。ひと目でダフネ君の母親だとわかるような、色白で、頬のふっくらとしたオカメのような顔をした人だった。ダフネ君は怖がって部屋から出てこられないらしく、僕と母親は代わりにダフネ君の母親に謝った。

ダフネ君はこのあと、県外の学校に転校した。僕が最後に見たダフネ君の顔は、恐怖に引き攣った泣き顔だった。

僕は、ダフネ君を傷つけたことを何とも思っていなかった。あんなふうに殴られた人がどんな気持ちになるのか、微塵も想像できなかった。僕は、他人の痛みをこれっぽっちも感じられない、最低な欠陥人間だった。あの時の、僕を見るダフネ君の眼……。まるで化け物でも見るような怯《おび》えた眼が、今でも頭に焼き付いて離れない。どれほど怖かったろう。どれほど痛かったろう。身体だけではなく、その優しく繊細な心にも深い深い傷を負わせてしまった。

そうやって、僕はいったい何人の人を傷つけ、その人生を狂わせてきたのか。

僕は歩くドリルだ。

息を吐くたび誰かを傷つけ、息を吸うたび己が摩耗し、絶えず他人や自分から何かを削りとって生きている。そのようにしか呼吸できないのだ。触れたものに孔《あな》を穿《うが》つことだけが、存在理由であるドリルのように。

中学二年のときのことだ。中学校の女性教師がダフネ君やアポロ君を個別に呼び出し、僕には近付くなと忠告した。僕はそのことをダフネ君に打ち明けられ、強いショックを受けた。

僕は他人とコミュニケーションを取ることが極度に苦手で、友人も少なく、クラスでも孤立していた。そういった状況でダフネ君からこの話を打ち明けられ、女性教師は自分を排除しようとしている、自分の居場所を奪おうとしていると、過剰に被害的に受け取り、強い敵意を抱いた。

だが今になって冷静に振り返ると、子供を見るプロである教師という職業に就く者に、そこまで言わせてしまう自分とはどういう子供だったのだろう、と自問せざるをえない。僕はろくに話をしたこともない相手に自分の抱える異常性を見抜かれて逆上し、見当違いな逆恨みをしただけではないのか。

事実、後にその女性教師の忠告を聴かず僕のそばにいてくれたダフネ君に対し、僕はひどい暴力を振るい、彼の心も身体も傷付けた。彼女が言ったことは正しかった。何ひとつ間違ってはいなかったのだ。

他人の善意をすべて逆手にしか受け取れない人間に、物事を斜め四十五度からしか見ることができず、常に他人を攻撃するための材料を探す人間に、近付く者、触れる者を傷付けずにはいられないドリルのような人間に、自分が傷付くことには敏感なくせに、他人の痛みにはこれっぽっちも想像力が働かない欠陥人間に、何より、あのような事件を起こしてしまうような、人間とは呼べないケダモノに、いったい誰が自分の大事な人を近付けたいと思うだろうか？「排除された」と息巻く前に、自分の中の他人の居場所を、自分自身で潰《つぶ》していたのではないのか？　本当は他の誰よりも自分で自分の異常性に気付いていたのではないのか？　だからこそ女性教師の言葉に過敏に反応してしまったのではないのか？　このままでは取り返しのつかないことになるという予感があったのではないのか？　自分のことを心配してくれる人がいたことも知っていたのではなかったか？　それでも助けを求めず、自分に嘘をつき、自分を誤魔化し、自分の抱える異常性と向き合うことから逃げて逃げて逃げ抜いて、ことあるごとに誤った選択を繰り返し、自分で自分を追い詰めて、結果あのような事件に至ったのではないだろうか……。

家に帰ると母親は昼食の支度を始めた。僕はキッチンテーブルの椅子に腰掛け、ペイズリー模様があしらわれたテーブル掛けに視線を這わせた。

「なぁ、母さん」

僕は母親の背中に声をかけた。

母親はちらっと僕のほうを見てすぐに手元の包丁に視線を戻し、手を動かしながら答えた。

「うん。なに？」

「しばらく学校休みたいねんけど、ええかなぁ？」

五秒ほどの沈黙が流れ、母親が言った。

「あんたがそないしたいんやったら、それでもええよ。ご飯食べたらお母さん学校に言いに行ったるさかい」

母親は何も訊かずに受け容れてくれた。

「ありがとう」

ボソッと礼を言うと、母親はこちらに向き直り、

「元気出しぃな。学校に合わんでも世の中で成功しとる人はぎょうさんおるんやで。あんたはあんたの道を探したらええねん。学校行かんかったからって人生終わるわけやないんやし」

と言って、笑顔で僕を励ました。

母親はこの後学校に向かい、僕の今後に付いて教師たちと話し合った。学校側の勧めで、僕はしばらく休学する代わりに児童相談所に通い、カウンセリングを受けることになった。

この十日後、一九九七年五月二十四日、僕はタンク山で淳《じゅん》君を殺害した。

GOD《ゴッド》 LESS《レス》 NIGHT《ナイト》

僕の引き起こした事件が異常極まりない印象を人々に与えたのは、殺害行為そのものよりも、一九九七年五月二十六日（五月二十七日未明）にとった行動のためだった。

二日前に淳《じゅん》君を殺し、未だ不登校中だった僕はこの日も朝十時頃に目覚めた。布団から抜け出し着替えると、部屋の襖《ふすま》を開け、ギシギシと軋《きし》む焦茶の木の階段から一階へ降りた。キッチンテーブルの上に、母親の置き書きがあった。

淳君の家に行ってきます
昼頃に帰ります
お母さんより

二日前から淳君が行方不明になり、心労のあまり床に臥《ふ》せった淳君のお母さんのかわりに、電話の応対や食材の買出しをするため、この日から、母親は毎日のように淳君の家に通った。

僕はメモ紙に触れず、冷蔵庫から食パンを一枚出してトースターで焼き、紅茶を淹《い》れた。

焼けたパンを取り出してプラスチックの皿にのせ、イチゴジャムを塗りたくり、その上から練乳をかけ、ぐちゃぐちゃに塗り混ぜて食べた。パンを一口齧《かじ》っては紅茶で流し込み、また齧っては流し込む。その様子は、食事をしているというよりも、病人が厭々《いやいや》薬を飲んでいるようだった。

僕は「食べる」という行為が面倒くさくてならない。肉体は、僕の生きる意志の有無にかかわらず、空腹を訴え、生を強制する。

食事を終え、歯磨きと洗面を済ませると、僕は通学用に使っていた「補助カバン」と呼ばれる手提げバッグを持って、自転車に乗り入角ノ池《いれずみのいけ》に向かった。

家の斜向かいの青空車庫に日産サニーが停まっていた。母親は歩いて淳君の家に行ったらしい。

空は曇り、一雨きそうだった。

自転車を走らせ、近所の公園に行き、白いベンチのある広場から森に入り、ジグザグの小径《こみち》を歩いた。樹に括《くく》りつけられたロープをつたい、入角ノ池のほとりに降り立つと、前日に淳君の頭部を隠した生命の樹《アエダヴァーム》の根元の洞《ほら》に向かった。

洞の中から黒いビニール袋に入った頭部を取り出し、用意した手提げバッグに入れ、バッグの持ち手に腕をこじ入れて肘まで通した。降りてきたロープを手繰《たぐ》ってもと来た小径に戻った。

森の出入口に向かう途中、にわかに雨が降り始めた。雨滴は間をおかず大粒になり、やがて空を破いたような土砂降りの雨となった。僕は手提げバッグを地面に置き、腕を拡げ、掌を開き、雨を抱いた。

雨は空の舌となって大地を舐めた。僕は上を向いて舌を突き出し、空と深く接吻した。この時僕の舌は鋭敏な音叉となった。不規則なリズムで舌先に弾ける雨粒の震動が、僕の全細胞に伝播《でんぱ》し、足の裏から抜け、地面を伝い、そこらの石や樹々の枝葉や小ぶりの溜池の水面《みなも》に弾ける雨音と共鳴し、荘厳なシンフォニーを奏でた。甘い甘い死のキャンディを命いっぱいに含んだ僕の渇きを、雨の抱擁が優しく潤してゆく……。

僕は森を抜け、公園に停めた自転車の前カゴに淳君の頭部を載せると、家に向かって猛スピードで自転車を走らせた。自転車の速度も相俟《あいま》ってか、先ほどまでとはうってかわり、BB弾のような硬い雨が、まるで罪を咎《とが》めるように、僕の全身を激しく打擲《ちょうちゃく》した。

家に着くと、自転車置き場に自転車を入れ、母親が帰っているかどうかも確かめず、鍵のかかっていない玄関から家の中に入った。

母親はまだ帰っていなかった。僕は風呂場の脱衣所に淳君の頭部を置き、居間から庭に出て、庭の隅の水道の脇に立てかけてある、直径六十センチほどの金メッキのトタンの盥《たらい》を持って、ふたたび脱衣所へ行った。汚れた淳君の頭部を、その盥で洗おうと思ったのだ。

脱衣所の扉を閉め、内側から鍵をかけると、ぐしょ濡れの衣服を脱いで洗濯機に突っ込み、全裸になった。手提げバッグの中のビニール袋を開き、淳君の頭部を取り出して脇に抱え、磨硝子《すりがらす》の二枚折戸を押し開け、風呂場に入り、戸を閉めると、そちらも内側からスライド式のロックをかけた。

この磨硝子の向こうで、僕は殺人よりも更に悍《おぞ》ましい行為に及んだ。

行為を終え、ふたたび折戸が開いた時、僕は喪心の極みにあった。精神医学的にどういった解釈がなされるのかはわからないが、僕はこれ以降二年余り、まったく性欲を感じず、ただの一度も勃起することがなかった。おそらく、性的なものも含めた「生きるエネルギー」の全てを、最後の一滴まで、この時絞りきってしまったのだろう。

バスタオルで身体を拭き、淳君の顔を拭いた。手提げバッグの中の黒いビニール袋に淳君の頭部を戻し、袋のクチをぎゅっと結んだ。

僕は裸のまま脱衣所から出て自室へ行き、部屋の隅の天井板を外し、屋根裏に頭部を隠した。

天井板を元に戻して、服を着、もう一度風呂場へ向かい、盥を庭の水道脇に戻し、家に入ってキッチンテーブルの椅子に座り、母親の置き書きを取ってくしゃくしゃに丸め、キッチンのゴミ箱へ投げ捨てた。

三十分ほどして、母親が慌ただしく帰ってきた。

「ただいまぁ〜。ひゃ〜、急に降ってきよったなぁ〜。あんた、ずっと家におったん？」

「うん」

「そっか。昼ごはんまだやろ？　これから作るわな。なんか食べたいもんある？」

「別に。なんでもええよ」

「スパゲッティでええ？　確かまだ冷蔵庫にミートソースあったはずや」

「うん。それでええ」

母親が僕に背を向け、スパゲッティを茹でながら、話し続けた。

「いやぁ〜、それにしても淳君どこ行ったんやろなぁ〜。淳君のお母さん、可哀想に、この三日間でげっそりしてもぉて……」

母親は茹で終えたスパゲッティを二枚の丸い皿によそうと、それが冷めないうちに手早くフライパンにミートソースを入れ、挽き肉と刻んだ玉ねぎを混ぜて温めた。仄《ほの》かに漂う腐臭の残り香《が》は、たちまちミートソースの芳香に呑まれて消えた。茹で上がったスパゲッティに、母親がミートソースをかけた。フライパンをシンクに置き、母親はテーブルにコップをふたつ並べ、冷蔵庫から麦茶を出してコップに注いだ。母親と向かい合って、二人でミートスパゲッティを食べた。

母親は美味しそうに食べていた。僕は身体が勝手に食べていた。

食事を終え、居間に寝転んでテレビを見ていると、インターフォンが鳴った。

「はーい」

洗い物を中断して母親が玄関に向かった。

「A、ちょっとこっち来ぃー」

母親が僕を呼んだ。玄関へ行くと、担任の女性教師と生徒指導のウッディが来ていた。

「おぅ、A、調子はどないや？　元気にしとったか？」

ウッディは無理にフレンドリーに話そうと努め、表情が引き攣《つ》っていた。

「別に。普通です」

「そぉか。ところで、もう中学校生活最後やし、修学旅行だけでも出て、みんなと思い出作らへんか？」

修学旅行？

僕の耳には〝宇宙旅行〟と変わらない響きに聴こえた。

「めんどいです。行きません」

ウッディは苦笑い。そのあと母親が彼らに近況報告をし、僕はその横で黙って突っ立っていた。

二人の教師が帰ると、母親が諭《さと》すように言った。

「あんたなぁ、別に愛想振りまくことないけど、もぉちょっと普通に話さなあかんよ。先生らかて忙しいのにわざわざ来てくれとんねんから」

「ウン」

僕はカラ返事をして、居間には戻らず、そのまま逃げるように二階の自室へ行った。

ビデオデッキに、エドワード・ファーロング主演の『ブレインスキャン』をセットして、再生した。

足が不自由な孤独なオタクの高校生が、友人から勧められた仮想殺人ゲーム『ブレインスキャン』をプレイする。ゲームの中で行ったはずの殺人が現実世界でも起こり、次第に空想と現実の区別がつかなくなっていく。

オチはかなりサムいのだが、エドワード・ファーロングのアンニュイな雰囲気と、殺人ゲームのナビゲーター、T・ライダー・スミス演じるパンクファッションの怪人〝トリックスター〟のポップな演技が好きで、何度も繰り返し見た。

『ブレインスキャン』の再生が三回目を迎えたころ、父親が帰宅し、家族五人で晩御飯を食べた。

食事を終え、入浴を済ませると、僕はまた部屋に戻った。『ブレインスキャン』がかかりっぱなしだった。

僕はビデオをかけたままベッドに横たわり、天井板の木目を眺めながら、淳君の頭部をどうするか考えた。ずっと家に置いておくわけにはいかない。

警察の取り調べでは、僕は入角ノ池から頭部を家に持ち帰る時には、〝学校の正門に頭部を置く〟という考えを持っていたと供述したが、実のところ、僕はこの時点でもまだ、

〃学校の正門に頭部を置く〃という発想はなかった。

――明日、家族が出払うのを見計らって、祖母の畑に埋めよう――

祖母の畑に、淳君を埋める。それが、僕が最初に導き出した答えだった。僕には、その答えはとても〃正しい〃ことのように思えた。

僕は『ブレインスキャン』を再生したまま、ウトウトと眠りに堕《お》ちた。眼をあけると、ビデオが終わってテレビ画面が白黒の砂嵐になっていた。僕はじっとその砂嵐の画面を見つめた。ノイズが、皮膚を貫いて身体の内部に沁み渡る。

カーテンは閉じられていたが、窓は開けっ放しだった。時折、夜風を孕《はら》んだカーテンの裂け目が葉型に拡がり、そこから月光の愛液が部屋の中に射し零《こぼ》れ、僕の狂気の潤滑油となった。

テレビ画面の砂嵐。葉型にひろがるカーテン。カーテンの裂け目から部屋の中へ零れ落ちる月の光。家庭訪問にきた二人の教師。屋根裏に隠した淳君の頭部。

無理に理屈をあてがって説明するのはよそう。自分でも何がどう繋がったのかはわからない。とにかく、眼の前の砂嵐画面のように、僕のバグった脳の中で、これらのファクターが一本のレールで繋がった。その狂った思考のレールの終着点に、水色のペンキで塗られた中学校の正門が聳《そび》えていた。

淳君の頭部を、祖母の畑に埋めるのをやめ、自分の通う中学校の正門に晒《さら》す。それは、考えうる限りいちばん〝間違った〟答えのように思えた。いちばん間違っているからこそ、この時の僕にとっては、それが〝大正解〟だった。

夜風が僕を擽《くすぐ》った。僕は笑った。ベッドから抜け出し電気をつけると、ベッド下の収納引き出しの裏から、一連の犯行すべてに使用した手袋を取り出した。手袋を嵌《は》め、押入れの衣装ケースから新品の画用紙と赤と黒の油性マーカーを取り出し、学習机の上に置いた。一枚目の画用紙に、アメリカの連続殺人鬼ゾディアックの声明文を真似てメッセージを書いた。筆跡を隠しつつ、何か特徴を持たせようと、文字の形をわざと角張らせた。この字体が思いのほか功を奏し、「赤く角張った文字」は僕の事件を象徴するヴィジュアルのひとつとなった。末尾には「学校殺死の酒鬼薔薇」と書き、その横に、ナチスの鉤十字とゾディアックの円十字マークを組み合わせた風車のようなシンボルマークを描いた。一枚目の画用紙を四つ折りにし、それをもう一枚の画用紙で包み、表の紙にも「酒鬼薔薇聖斗」と書いて、シンボルマークを添えた。

「酒鬼薔薇聖斗《さかきばらせいと》」という名前は、猫殺しに明け暮れた小六の頃にせっせと描いた自作の漫画に登場するキャラクターから取ったものだった。漫画の中の「酒鬼薔薇聖斗」は、七三分けのザンギリ頭、瞳には色がなく、眉は薄く、口元には酷薄な笑みを浮かべ、プラスチック製の人形のような無機質ないでたちをしていた。肝試しをするために真夜中に学校に集まった生徒たちを、酒鬼薔薇聖斗が奇怪な形状の斧で次々と殺戮するというB級ホラー映画のような内容の漫画だった。

同じようなキャラクターは他にも描いた。たとえば「翡翠魔弧《ひすいまこ》」というキャラクターだ。こちらも瞳には色がなく、肩までの髪をセンター分けにし、日本人形のような無表情な顔をしていた。翡翠魔弧は天才的な科学の才能を持ったいじめられっ子で、見た目は普通のランドセルにしか見えない大量殺戮兵器を発明する。ランドセルのカバーを開けると、中から何本ものロボットアームが飛び出し、ロボットアームの先端にはそれぞれマシンガン・火炎放射器・ミサイル・レーザー銃などの武器が付いている。ランドセルの底にはジェットエンジンが搭載され、空を飛ぶこともできる。翡翠魔弧はそのランドセル兵器を背負っていじめっ子グループを皆殺しにし、更にそれだけでは飽き足らず、「学校」と名の付く建物を次々と破壊して廻る。

漫画を描き終えたあとも、僕はこのふたつのキャラクターの正面向きの顔を、逮捕される時まで落書き帳に繰り返し繰り返し描き続けた。どちらも、事件当時の自分の殺人願望や破壊衝動を投影した自画像だったのかもしれない。

挑戦状にペンネームを使おうと思った時、「翡翠魔弧」にしようか「酒鬼薔薇聖斗」にしようか迷った。それぞれのキャラクターが登場する漫画のストーリーと、これから自分が取る行動を照らし合わせ、「酒鬼薔薇聖斗」のほうが相応しいと判断し、そちらに決定した。もしここで「翡翠魔弧」を選んでいれば、神戸連続児童殺傷事件は別名「翡翠魔弧事件」になっていた。
家から出る際、玄関から外に出るのは危険すぎる。この家の老朽化した木の階段は、踏みしめるたびにけたたましい軋り音《ね》をたてるからだ。両親が起き出さないとも限らない。部屋の窓から直接庭に降りるしかない。

不意に強い風が吹き、カーテンの裂け目が、いっそう大きく葉型に拡がった。この六畳の洋室は僕の小宇宙であり、僕の〝拡張した〟内界だった。決して外へ開かれることのなかったその内界に、突如、外界の処女膜が立ち現れたのだ。皮肉な話である。極限の内向の果てに僕が視《み》たのは、外界への入口だったのだ。

葉型に拡がったカーテンの裂け目に両手をかけ、僕は外界の処女膜を破り、夜にダイブした。

空には仄かに霧がかかり、白い月が滲《にじ》んでいた。自転車をフラフラと走らせ、映画『スタンド・バイ・ミー』の主題歌を鼻歌で口ずさみながら、僕はこの上もなく上機嫌だった。『スタンド・バイ・ミー』——心に傷を負った四人の少年が、線路づたいに〝死体探し〟の旅に出る甘く切なく美しい永遠の少年映画。誰もが、喪われた自身の少年時代を想い起こす名画の中の名画だ。僕はこの映画が大好きだった。英語の授業で、この映画の主題歌をクラス全員で歌ったことがある。その時ばかりは僕も熱心に参加した。

僕は〝死体《タカラモノ》〟を自転車の前カゴに載せ、狂った思考の線路づたいに自転車を走らせ、たったひとりの『スタンド・バイ・ミー』を敢行した。胸が高鳴った。誰ひとりとして見向きもしなかった、醜くみすぼらしい透明な一匹の虫螻《むしけら》によって、これから世界がひっくり返されるのだ。

中学校の正門に着くと、門の前に自転車を停め、ビニール袋から淳君の頭部を取り出し、さてどこへ置こうかと思案をめぐらせた。

水色の正門の真ん中がいいか？　白塗りの塀の、中学校の名前の入ったプレートの真下にするか？

いろいろと悩んだ挙句、僕は門の真ん中に頭部を置き、二、三歩後ろに下がって、どう見えるかを確認した。

その瞬間、僕の世界から、音が消えた。

世界は昏睡し、僕だけが独り起きているようだった。

地面。

頭部。

門。

塀。

塀の向こうに聳える校舎。

どの要素も、大昔からそうなっていたように、違和感なく調和し、融合している。まるで、一枚の絵画、映画の中のワンシーンのようだった。

校舎は朧月夜《おぼろづきよ》の闇の中へその輪郭を霞《かす》ませていた。校舎の正面壁の上部中央に、月桂樹の葉のなかに「中」の文字のあしらわれた校章が取り付けられている。僕にはその校章は、ルドンの描く、あの一ツ眼巨人《サイクロプス》の眼玉のように映った。

校章から視線を下へ這《は》わせると、正面玄関のガラス扉が見えた。そう、この巨大な一ツ眼の化け物の口は、幾度となく僕を、弄《もてあそ》ぶように呑み込んでは吐き出し、呑み込んではまた吐き出したのだ。この建物は、僕の憎悪の結晶であり、自分を排除し続けた世界の象徴だった。

だがそういった激しい怒りや憎しみは、今や僕の支配するこの夜の闇に融《と》け出し、きれいに消化された。いま僕を包むこの夜の闇は、思いどおりに世界を描くことのできる僕だけの真っ黒いキャンバスだった。これまでに味わった数多《あまた》の屈辱も、この夜の闇が、優しく塗り潰《つぶ》した。僕はもう恐れなかった。もはやこの建物のどこにも、僕を脅かす力は潜《ひそ》んでいないように思えた。あれほど僕を脅かした堅牢な一ツ眼の化け物は、今や僕の決壊した精神のダムから怒濤のごとく迸《ほとばし》る闇の波間に力なくたゆたう幽霊船と化し、その実体を喪っていた。

校舎南側の壁沿いに二本並んだナツメヤシの葉が、降りかかる月の光屑《ひかりくず》を撒《ま》き散らすように音もなく擦れ合っている。呪詛と祝福はひとつに融け合い、僕の足元の、僕が愛してやまない淳君のその頭部に集約された。自分がもっとも憎んだものと、自分がもっとも愛したものが、ひとつになった。僕の設《しつら》えた舞台の上で、はち切れんばかりに膨れ上がったこの世界への僕の憎悪と愛情が、今まさに交尾したのだ。

告白しよう。僕はこの光景を、「美しい」と思った。

薄い夜霧のドレスを裂いて伸びてくる月の光の切っ先は鑿《のみ》となって、闇の塊の中から、この世あらざる絶望的に美しい光景を彫《え》り出していた。

もう、いつ死んでもいい。そう思えた。自分はこの映像を作るために、この映像を視るために、生まれてきたのだ。すべてが、報われた気がした。

もはや僕には、正気も、狂気も無かった。ただ、濃密な無感覚のみが、僕の虚《から》の肉体を領《りょう》した。

> 何かを経験し、それによって僕らの中で何かが起こります。化学作用のようなものですね。そしてそのあと僕らは自分自身を点検し、そこにあるすべての目盛りが一段階上にあがっていることを知ります。自分の世界がひとまわり広がっていることに。
>
> （村上春樹『海辺のカフカ』）

この時、僕の皮膚の内側と外側が化学反応《ケミストリー》を起こし、僕の世界の〝目盛り〟は、大幅な変更を余儀なくされた。この光景を視てしまったあとでは、もはや他人と同じ目盛りで世界を視ることは不可能だった。

用意した挑戦状を頭部に添え、自転車に跨《またが》り、僕は学校をあとにした。

駐輪場に自転車を戻し、音が鳴らないよう慎重に門を閉め、そのまま裏庭に廻り、植木鉢の並んだアルミ棚によじ登って二階自室の窓の柵に手を引っ掛け、開いた窓から部屋の中に入った。机の引き出しの奥から赤マルの箱とライターを取り出し、窓の柵に身を乗り出して、煙草に火をつけた。先ほどまでかかっていた霧は散り、大口をあけた獣の横顔のような、バックリ開いた純白の下弦の月が、夜に喰らいついていた。

風はやみ、吐き出した紫煙は幽《かす》かにゆらめきながら、純白の月へと真っ直ぐたち昇っていった。その煙はあたかも、この世での使命《ミッション》を終え、肉体から抜け出してゆく、僕の魂のようだった。

蒼白き時代

僕が人生で最も過酷で鮮烈な季節を生きた〝九十年代〟とは、一言で言ってしまえば〝身体性欠如〟の時代だ。僕は典型的な九十年代の子供《ナインティーズ・キッド》だった。

一九九一年、僕が小学三年時にバブルが崩壊し、「失われた十年」が始まった。

バブルが崩壊したといっても、好景気の余韻は色濃く残っており、自分や自分の周囲の者たちの生活が眼に見えて逼迫《ひっぱく》することはなかった。だが、物質的利益を最優先させる競争社会の在り方に疑問を持ち、お金や物があっても幸せを感じられない人は確実に増えていった。それを裏付けるように新興宗教がブームになり、自己啓発本が飛ぶように売れた。

一九九五年、僕は小学六年時に阪神淡路大震災を経験した。僕が住んでいた地域は大きな被害は免れたが、被害がひどかった長田区や東灘区に住んでいた父親の同胞たちの家は倒壊し、父親の兄――アル中でありながら腕のいい大工であった伯父――が中心となって、彼らは自分たちで公園にプレハブ小屋を建てて共同生活を営んでいた。出来合いのプレハブ小屋には、驚いたことにちゃんと電気や水道まで通っていた。このような異常時における島人《しまんちゅ》たちの結束力には眼を瞠《みは》るものがある。

父親に連れられ、彼らが住んでいた地区を訪ねた時の光景は今でも脳裡に焼き付いて離れない。

原爆投下もかくあったろうと思われる黒焦げの瓦礫の山。ゴジラが暴れたあとのようにグシャグシャに潰《つぶ》れた家々や横倒しになった高速道路。この世の終りのような光景に、僕は足が竦《すく》み、しばらく言葉を失い身動きが取れなかった。皆が必死に築き上げ、守ってきた生活が、こんなにもあっけなく崩れ去ってしまうものなのか……。

それからわずか二か月後、東京の地下鉄駅構内で地下鉄サリン事件が発生した。ラッシュ時の地下鉄を狙い、複数の路線に猛毒神経ガス〝サリン〟をばら撒《ま》いて乗客たちを無差別に殺傷した世界初の化学兵器テロ。終末思想を唱える教祖「麻原彰晃」の言葉に衝き動かされたカルト教団・オウム真理教の犯行だった。

僕はこのふたつの大惨事をリアルタイムで見てきた。体内に巨大な虚無がインストールされ、後の僕の思考スタイルにはかりしれない影響を与えた。

大勢の命があっけなく奪われていく。死んだ者は数字になるだけ。

何のために生きるのか？

何のために存在しているのか？

バブル崩壊後、〝物質的利益〟一辺倒だったそれまでの価値観の体系が大きく揺らぎ始めていたところへ、〝震災〟〝サリン〟と、世紀の二大カタストロフィーのワン・ツーパンチを喰らい、人々の心は「物質的なもの」から「精神的なもの」へとますます加速度的に移行していった。

それは、深く病んだ「蒼白き時代」だった。

父の涙

七月十二日。

犯行現場をマイクロバスで廻り実況見分を行った翌日、取調室に通されると、前日に「ブチ込んどけ！」と言ってキレた刑事が、頭をぽりぽり掻きながら謝った。

「いやぁ〜、昨日は悪かったのう。おまえ朝弱かったんやろ？　あんな早ぉ起こされてあっちこっち連れ回されたら、そら機嫌悪なるわなぁ〜。堪忍な」

気を取り直してさっさと取り調べを再開したかったのだろう。それは僕も同じだった。決して取り調べを楽しんでいたわけではないが、自分がこの手でやったことを、自分の言葉できちんと話し、隅々まで認識しておきたかった。それは自分自身にとって必要な作業のように思えた。

「いえ、別に」

気のない返事を返し、また何事もなかったように取り調べを再開した。

刑事は、僕が部屋に隠し持っていたナイフに付いて質問した。押収されたナイフから、被害者とは一致しない血液反応が出たのだという。他にも誰か刺したのではないかと訊かれたが、まったく身に覚えがない。僕は自分か猫の血ではないかと答えた。

写真も見せられた。僕の部屋で、僕が隠し持っていたナイフを右手に握り、左手でそのナイフを指差す父親の写真だった。この写真を見せられた時にはさすがに堪《こた》えた。紫のスウェットの上下を着た父親が、ナイフを握り、真っ赤に充血した眼でこちらを見ていた。その表情は、怒っているようにも、悲しんでいるようにも見えた。いくらなんでもこれはあんまりだと思った。なぜわざわざ父親にこんなことを強要したのか。警察がやればいいことだろう。これではまるで父親が犯罪者のようではないか。

取り調べを終え独房に戻っても、ナイフを握る父親の写真が頭にこびりついて離れなかった。自分がこれまで全身をどっぷりと浸《つ》からせていた、誰ひとりとして立ち入ることを許さなかった邪《よこしま》な世界に、突然放り込まれた父親の戸惑いは、どれほどのものだったろう……。

僕にとって父親はどんな存在だったのか。独房の壁に凭《もた》れて眼を閉じ、頭の中に針金を大の字に立て、父親に関する記憶の断片を拾い集め、それらをひとつひとつ針金にくっつけて、ゆっくりと、丹念に、父親の姿をモデリングした。

身長は百六十センチ前後。小柄だが肩幅が広く、がっしりしていた。角張った顔の真ん中に、鼻梁《びりょう》が太く先端が丸く盛り上がった大きな鼻が付いている。この鼻は父親の家系の特徴で、父親は八人兄妹の末っ子なのだが、父親の兄姉たちも皆申し合わせたように同じ形の鼻が付いていた。肌は浅黒く、前髪付近だけメッシュでも入れたように白髪になっていた。

出身地は奄美群島の南西部に位置する島だった。僕は小学四年時と六年時、都合二回この島を訪れた。僕は父親の生まれ育ったこの小さな島が大好きだった。砂浜から見渡す海の色は、海岸線から沖へ向かって十メートルあたりまで真っ透明で、海の底が透けて見えた。そこに泳ぐ魚はまるで空中を泳いでいるみたいだった。十メートルほど超えたあたりから海面は徐々にグラデーションを帯びてライトブルーへとかわり、そのまま水平線を暈《ぼか》して同じ色の空へと溶け込んでいた。

父親の生家にも連れて行ってもらった。とっくの昔に住む人がいなくなり、あばら家となった小さな平屋建ての日本家屋で、中へ入ると天井の柱にバスケットボール大のスズメバチの巣がぶら下がり、屋根の裂け目から射し込む陽光のスポットライトを浴びた無数のスズメバチが、自分たちの手で丹精こめて作り上げた、表面に美しいマーブル模様の浮かぶ球形の舞台の上で、ブォンブォンとバイクのエンジン音のような羽音を鳴らし、生命の営みをあくせくと演じていた。生命の躍動を湛《たた》えたスズメバチの巣を孕《はら》んで朽ち果てた廃屋は、心臓だけが生きて鼓動し続ける白骨死体を思わせた。僕はこの父親の生家がすっかり気に入ってしまい、「将来この家を修理してここに住みたい」と父親に言った。

だがもうその夢が叶うことはない。僕が逮捕されてから、この島に住む親族たちのところへまでマスコミが押しかけたらしい。ただでさえ閉鎖的な田舎町で、どれほどの偏見に晒《さら》され、肩身の狭い思いをさせてしまったことか。島じゅうの人たちが顔見知りのような、プライバシーなどあってないような環境で暮らす人たちにとって、たとえ遠い親戚でも身内から犯罪者が出るというのは、社会的な死刑宣告にも等しい。一族の名を穢《けが》してしまった自分は、もう二度とあの島へ足を踏み入れることは許されない。この島は、最愛の祖母の生まれ故郷でもある。

父親は中学卒業と同時に集団就職で神戸に出てきた。結婚して神戸に住んでいた姉の家に身を寄せ、電気工務店で下積みを積んで電気関係の資格を取り、その後大手企業に移り電気技師として船舶関係の配電工事に携わった。

子供の頃、父親の会社の見学に行ったことがある。海の近くに大きな工場が建ち並び、中へ入ると見たこともない機械が何台も設置され、くぐもったような轟音が鳴り響き、あまりの異世界感に畏怖《いふ》の念さえ懐《いだ》いた。展示会場のようなところでは、全長一・五メートル程のアームロボットがグリップ部に筆を握り、ジョイント部を生き物のようにくねらせて床に置かれた大きな半紙にぴったりおさまるように、トメハネのついた美しい文字で「未来を創る技術」と書いた。その光景を見た時には、本当に近未来にタイムスリップしたような感慨を覚えた。

父親は晩酌が好きだった。つまみもよく自分で作っていて、スルメ干しを細くちぎってコンロで炙《あぶ》り、醤油マヨネーズにつけて食べるのがお気に入りだった。父親があんまり美味しそうに食べるものだから、僕も一口食べさせてもらったことがある。口に含んだ途端、不味くてティッシュに吐き出してしまった。

父親はゴルフも好きだった。僕も一度父親と一緒に近所のゴルフセンターに行ったが、これもまた何が楽しいのかさっぱり理解できなかった。

音楽は聴かない人だったが、テレビのコマーシャルでビリー・ジョエルの「ストレンジャー」が流れた時に、「この曲、なんかええなぁ」と言っていた。

僕は子供の頃ひどい鼻炎持ちだった。鼻が詰まって夜なかなか寝つけずにいると、父親はよく鼻をマッサージしてくれた。逞《たくま》しい父親の手が優しく鼻に触れ、僕は「もうこれで大丈夫だ」と安心してすやすや眠ることができた。

僕がまだ生まれて間もない、乳歯が生え出したばかりの赤ん坊の頃、僕が何か噛みたくなった時には、変なモノを口に入れて喉を詰まらせないように、父親が自分の掌の肉を噛ませていたそうだ。母親からその話を聞いた時、実に父親らしい、寡黙で、忍耐強い愛情表現だと思った。

父親は手先の器用な人だった。僕が幼い頃、趣味の日曜大工も兼ねて木製のミニカーや飛行機、高さ一メートルほどの滑り台などを作ってくれた。

絵も上手だった。父親は心臓に持病があり、僕が小学三年くらいの時に一週間ほど入院したことがあった。母親に連れられてお見舞いに行った際、父親からA4サイズのスケッチブックを手渡された。開いてみるとそこには、木の枝にとまって羽根を休める小鳥や、ベンチで抱擁するカップルなど、病室の窓から見える風景が、愛情に満ちた誠実な鉛筆のタッチで描かれていた。絵の上手さもさることながら、実直で無骨な父親が、こんなに優しく繊細な感性で世界に触れる一面を持っていたことに、僕は意表を突かれた。

父親は泣かない人だった。僕が逮捕され、鑑別所で面会した時も、少年院で面会した時も、父親は、僕に会うたび泣き崩れる母親の肩に手を置き、きつく唇を閉じ、じっと何かに耐えているように見えた。

生まれて初めて父親の涙を目にしたのは、父親と最後に会った日——二〇〇四年七月下旬、少年院を仮退院して最初の誕生日を迎えたばかりの、蟬《せみ》の啼音《なきね》がさんざめく夏の夜だった。

当時僕を支援してくれていた民間のサポートチームの取りはからいで、僕と父親はある地方の人里離れた山奥のコテージで、二日間ともに過ごした。小川のせせらぎが聴こえる静まり返った杉林の一角にひっそりと建つ、木造二階建てのそのコテージは、一階部分とそれよりもひとまわり小さな二階部分が重なり、一階にはリビング、ダイニング、バスルームがあり、二階が寝室、二階の屋上はウッドデッキテラスになっていた。

その夜、僕はコテージ二階の寝室で、頭の後ろに手を組んでベッドに横たわり、開け放した窓から雪崩《なだ》れ込む蟬の啼き声に身を浸《ひた》していた。

「お〜い、コーヒー入ったぞぉ〜」

ドア越しに父親が呼ぶ声がした。ドアを開けると、キャンプでよく使われる銀のマグカップをふたつ持った父親が立っていた。

「屋上に出てみいひんか？　今日は星がよぉ見えるで」

「うん」

父親が差し出したマグカップを受け取り、二人で屋上のテラスへ出た。

確かにきれいな星空だった。プラネタリウムのようにひとつひとつの星の輪郭がくっきりと見えた。テラスのベンチに父親と並んで腰掛け、マグカップに堕《お》ちた満天の星を啜《すす》った。

月や星のジュエリーで煌《きら》びやかにめかしこんだ夜空をバックに、蟬のオーケストラの演奏はいよいよ佳境に入り、夜の底を震わせていた。

僕は蟬の啼き声が好きだった。何度も脱皮を繰り返し、やっと地上で翅《はね》を得てから七日間しか生きられない蟬は、最後にその命を脱いで死へ翔び発つまで、全身の細胞でひと呼吸ひと呼吸を味わいながら狂ったように啼き続ける。まるでこの世の岸辺に、己の存在の余韻を刻み込むかのように。

星屑のストロボと蟬のアンセムでトリップしかけていると、不意に父親が口を開いた。

「なぁ、A。今すぐにとは言わへんけど、おまえの気持ちが落ち着いたら、また家族みんなで一緒に暮らせへんやろか？　父さんも母さんも、どうしてもおまえのそばにおってやりたいんよ。被害者の方たちのこと考えると、こんなこと言えた義理やないけど、おまえがちゃんと立ち直って、世の中に適応してやっていけるように、親として見守ってやりたいねん。考えてみてくれへんか？」

僕にはわかっていた。父親の本心が。父親は僕が更生したことを信じきれず、心のどこかで、僕がひとりになるとふたたび罪を犯すのではないかと恐れていた。妙な話だが、父親のその疑いを皮膚で感じ取り、嬉しかった。少なくとも父親は、僕の中に何か得体のしれない恐ろしい一面があることを認め、それも含めて僕を「息子」として受け容れているように見えた。

「ありがとう、父さん。でも、ごめん。父さんの気持ちは嬉しいけど、やっぱり僕はひとりで生活したい。よく想像するねん。昔みたいに家族みんなでテーブル囲んで、和気あいあいと食事しとる時に、つけとったテレビからいきなり僕の事件に関連したニュースが流れて、そこにおるみんなの表情が凍りつくところを。それはほんまに辛い。たとえ父さんたちが大丈夫でも、僕が耐えられへん。少し離れたところから見守っといてほしいねん」

それは嘘偽りない本心だった。赤の他人の前で自分が殺人者であると自覚することと、愛する者たちの眼の前で、自らが犯した悍《おぞ》ましい罪を突きつけられることには、彼我の差がある。父親はしばらくの沈黙を挟んだあと、こう言った。

「そうか。わかった。ほんならこうしてたまに顔を見に来てもええか？　そのうち母さんや弟らも連れてくるさかい」

「うん。ええよ」

「じゃあそないしよう。みんなにも言うとく。せやけどおまえ、あんまり無理したらあかんぞ。ダメになりそうになったら、いつでも帰ってきてくれな。最後は家族しか味方になる人はおらへんからな」

「うん、そうする。ありがとう」

「よっしゃ。約束やで」

父親が嬉しそうに笑った。

僕は気になっていたことを父親に尋ねた。

「そういえば、僕らが住んどった家って今どうなっとん？」

「ああ、今な、◯◯ちゃんが住んどんねん」

母親の妹だった。事件当時は某大手化粧品会社に勤めるOLで、三姉妹の中で唯一独身。小柄で、ふっくらとしていて、手の甲にえくぼができる。ひょうきんで、英語が得意だった。事件後、両親と弟たちはその叔母のマンションに身を寄せた。

僕が小学校低学年の時、叔母は単身北海道へ旅行に行った。観光名所として有名な現地の刑務所の見学に行ってきたらしく、木の札の付いた片輪の手錠をお土産に買って家に遊びにきたことがあった。僕は叔母が買ってきた手錠を自分の手にかけてみた。叔母が笑いながら言った。

「ええかA、もしホンマモンの手錠かけられるようなことがあったら、身内の縁切るからな。覚えときや」

数年後、僕は「ホンマモンの手錠」をかけられることになった。ホンマモンはお土産と違い、ずっしりと重く、冷たかった。ホンマモンの手錠をかけられた瞬間に、全身の気がフっと抜けていくようなあの感覚……。今でも忘れられない。

叔母は僕がホンマモンの手錠をかけられても、身内の縁を切ることはなかった。少年院にも何度か面会に来てくれた。僕の顔を見るやいなや、叔母は泣き声をあげて僕に抱きつき、僕の顔を両手で挟んで、「A、ごめんな、ごめんな」と謝った。なぜ叔母が謝るのかわからなかった。母親の姉が面会に来た時も、全く同じ反応だった。彼女たちは僕にいったいどのような感情を抱いていたのだろう。謝らなくてはならないのは僕のほうなのに、なぜ彼女たちは泣きながら僕に謝ったのだろう……。

小さい頃、よく叔母のマンションに泊まりがけで遊びに行った。僕が泊まりに行くと叔母はいつもピザをとってくれた。時には僕を連れ出して三宮の地下商店街に行き、ちょっと変わった天ぷら屋さんに入ってアイスクリームやらバナナやらの天ぷらを食べさせてくれた。

小学六年の時、初めてユーミンの「砂の惑星」を聴いたのも、彼女のマンションに遊びに行った時だった。彼女が持っていたユーミン二十六枚目のオリジナルアルバム『THE DANCING SUN』の二曲目に「砂の惑星」が収録されていた。まったく同じアルバムを買い求め、僕は家でこの曲ばかりを聴くようになった。

僕は叔母のマンションに泊まると徹夜でゲームをし、映画を見た。いつも寝不足で帰るので、母親はある時から叔母のマンションに泊まりに行くことを禁止した。僕は泣きながら「絶対、寝る時間守るから」と懇願したが、結局、許可されなかった。

狂気の抜け殻のようなあの不吉な家で、叔母はどんな気持ちでたったひとりで過ごしているのだろう。精神を病んだりしていないだろうか？

叔母に会いたい……。

だがそんな身勝手が許されるはずがない。

自分は何をした？

家族や他の身内をどんな目に遭わせてきた？

身内の誰も自分を責めなかったからといって、〝許された〟なんて思っているのか？

叔母に、自分を可愛がってくれたことを、事件後、行き場を失った家族四人をマンションに置いてくれたことを、「ホンマモンの手錠」をかけられた僕を、変わらず大事に思い続けてくれたことを、本当に感謝していると伝えたい。

中に戻ると二人で一階に降り、父親は僕からマグカップを受け取りキッチンへ、僕はバスルームへ向かった。

いつの間にか蚊に刺された手の指が急に痒くなった。指を掻いているうちに心まで痒くなった。

何か父親に訊きたいことがあるような気がした。言わなくてはならないことがあるような気がした。

もし蟬が啼いていなかったら、もし満天の星の下で美味しいコーヒーを飲まなかったら、もしそこが都会から離れた山奥の桃源郷じゃなかったら、もし蚊に指を刺されなかったら、僕は父親にそれを言わなかったかもしれない。永久にそれを言う機会を失っていたかもしれない。

バスルームの入り口で僕は踵《きびす》を返し、キッチンでマグカップを洗う父親の背中に声をかけた。

「なぁ、父さん」

父親が振り返る。

「おう。どないしたんや？　風呂先に入ってええで」

「いや、ちゃうねん」

僕が話したがっているのを察して、父親は洗い物を手早く済ませると、こちらへ向き直った。

「父さん、今まで生きてきて、いちばん幸せやったことって何？」

「おまえが生まれた時や。あの日のことは一生忘れへん。初めての子供で、生まれた瞬間、父さん嬉しくて泣いてもぉた」

父親はズボンの後ろのポケットからおもむろに財布を抜き、中から、中学入学時に学校の制服を着て家の裏庭で撮った僕の写真を取り出して見せてくれた。少し大きめの紺のブレザー。まだ糊のついた、買ったばかりのパリパリのYシャツ。エンジ色のネクタイ。顔はお決まりのポーカーフェイスで、その身体は地面に足を踏ん張って立っているというよりも、操り人形のように見えない糸で宙に吊るされているようで、妙に体重を感じさせなかった。真っ直ぐ立ってはいるものの、どこかギクシャクした不自然な雰囲気を放っている。どんなに平凡で特徴のない外見をしていても、見る人が見れば、あとひとつブロックを抜き取れば一気に崩れ落ちるジェンガゲームのような、その危うい〝存在の不均衡さ〟を感じずにはいられないだろう。

僕から見れば、そこはかとなく不吉なものが漂うその写真を、御守りのように大切に持ってくれている父親の姿が、健気《けなげ》で、傷ましく、愛おしかった。

僕は静かに話し始めた。

「父さん、僕ら五人はほんまに普通の家族やったよな。ほかのみんなと同じように、家族で一緒に出かけたり、誕生日を祝ったりして、幸せやったよな。僕さえおらんかったらよかったのに。なんで僕みたいな人間が父さんと母さんの子供に生まれてきたんやろな。ほんまにごめん。僕が父さんの息子で」

事件後、僕は初めて父親に面と向かって謝った。

次の瞬間、父親は僕から眼を逸らし、親指と人差し指で目頭を突き刺すように抑え、見ないでくれとでもいうように、俯《うつむ》き、肩を震わせ、声を殺して泣き始めた。父親が泣くところを見たのは生まれて初めてだった。謝っているのは僕のほうなのに、まるで父親が怒られて泣いているようだった。

辛かったのだろう。本当に辛かったのだろう。志を抱いて島を飛び出し、どんな理不尽なことも我慢し、他人に迷惑をかけることなく、実直に、正直に生きてきたというのに、たまたま自分たち夫婦の間に生まれた精神的奇形児のせいで、人生を滅茶苦茶にされ、「殺人者の親」と罵られ、社会的な信用も失った。どうして自分がそんな目に遭わされるのか、悔しくて悔しくてたまらなかったのだろう。

――長男さえ生まれてこなければ――

そう思ったこともあったはずだ。でもそれを誰にも言えなかったのだろう。父親はそういうことを決して口にできない人だった。僕が代わりに言ってあげるしかなかった。父親が胸の内に秘めた僕への負の感情を、父親になりかわって代弁することが、この時の僕にできる、父親への精いっぱいの償いだった。

突然、子供時代の暗い記憶が蘇った。小学一、二年の頃のことだ。隣の席に、ほとんど何もしゃべらない男の子がいた。ある時僕は、どうしてもその子の声が聞きたくなった。

コミュニケーションを取りたかったのではなく、単純に「声を出させてみたい」という衝動に駆られてしまったのだ。まるで珍しい動物の鳴き声を聞きたがるように。そのために僕がとった行動は今考えると信じ難いものだった。休み時間になると、僕は幼年期特有の天使のような無垢な残虐さで、一言も話したことのないその子の袖《そで》を摑み、いきなりお腹を殴った。その子は声を出さずに、お腹をおさえて屈み込んだ。僕は諦めなかった。襟を摑んでその子を立たせると、今度は半ズボンの裾から覗《のぞ》くその子の内腿を、思いきりつねり上げた。その子は苦悶の表情を浮かべながら、抵抗するわけでもなく、全く謂《いわ》れのない唐突で理不尽な責め苦に、ただ黙って耐えていた。しばらくするとその子の左眼から、一筋の涙がスッとこぼれた。声の代わりにこれで許してほしいといわんばかりに。僕は興醒《きょうざ》めしてしまい、その子を離して、何事もなかったように自分の席に戻った。

何の反撃もせず、ただ黙って必死に苦痛に耐えていたその子の涙と、眼の前で泣いている父親の涙が重なって、いたたまれない気持ちになった。

思えば僕はずいぶん長い間、父親の存在を無視し続けることで、繊細で我慢強い父親の心をつねり上げてきたように思う。

父親と自分の間には何の共通点もないし、ほしいとも思わなかった。僕が好きなものに父親が興味を示さないように、父親が好きなものに僕も興味を示さなかった。

父親を尊敬したことは一度もなかった。真面目なだけが取り柄のつまらない人間だと思っていた。自分がやったことで父親が苦しむかどうかなんて、毛の先ほども考えなかった。

前髪付近にしかなかった父親の白髪は頭髪全体にひろがり、頭頂部のあたりの髪は少し薄くなっていた。

拳を握り、声を押し殺し、肩を震わせ、叱られた子供のようにうなだれて泣いている、余りにも傷付き疲弊した初老の男の姿を目の当りにして、僕は初めて、自分の存在がどれほどこの人を苦しめてきたのかを思い知った。自分がこの人のことを、頭の片隅のさらに隅っこでさえ考えていなかった時、この人はずっと自分に傷付けられ続けていたのだ。今までずっと、自分の無関心によって、この人の心は内出血を起こすほどぎりぎりとつねり上げられていたのだ。

それなのに、「自分の息子だから」と、ただそれだけの理由で、僕を愛さなくてはならないのだと自分自身に言い聞かせるように、僕の写真を肌身離さず持ち歩く、罪なほど生真面目な父親が、悲しかった。

ニュータウンの天使

七月十三日。

父親の写真を見せられた翌日の取り調べで、犯行翌日の五月二十五日の足取りについて訊かれた。

僕はこの日、淳《じゅん》君の遺体の一部を殺害現場であるタンク山から一旦別の場所に移すため、黒いビニール袋に入れ、それを持って山を降り街なかを歩いた。道中、淳君が籍を置く〝なかよし学級〟担任の女性教師とすれ違った。そのことを話すと、すでに女性教師からも話を訊いたようで、刑事はデスクの上に用意したその年の小学校の卒業アルバムを開き、中に写った件《くだん》の女性教師の写真を指差して「この先生で間違いないんか？」と僕に確認した。

他の教師たちと並んで撮影された集合写真の片隅に、彼女は写っていた。歳は三十歳前後。薄手のピンクのセーターに、淡いブルーのジーンズ。その顔に一度、思い切り睨《にら》みつけられたことがあった。

僕は小学六年の頃、学校のグラウンドで淳君を殴る騒ぎを起こした。唇が切れ、鼻血が吹き出し、頭にたんこぶができるほど、僕は淳君をひどく殴りつけてしまった。

放課後、教室に居残るよう担任に言われ、しばらく待たされたあと、担任が先の女性教師を連れて教室に入ってきた。担任は僕の机の前に椅子をふたつ並べた。

「先生、座ってください」

担任が女性教師に座るよう促したが、彼女は座ろうとせず、涙を溜めた眼元を紅潮させ、瞳孔を開いて僕を睨みつけ、今にも飛びかかってきそうだった。

担任が椅子に座り、話し始めた。

「淳君の頭にはコブができとったで。なんでそこまで殴らんといかんのや？　淳君が何かしたんか？　怒らへんから理由があるんやったら言うてみ？」

僕は何も答えられなかった。

女性教師が口を開いた。

「淳君はA君のこと好いとったんとちゃうの？　わたし、外でA君と淳君が一緒に遊んどるとこ見たこともあるんよ。A君はほんまは優しい子なんやってその時は思っとったけど、辛いことがあっても言葉で言われへん子に暴力振るうなんて、絶対許せへん……。淳君がされたこととおんなじことを、私がA君にしてやりたいくらいや……」

彼女は声を震わせ、涙をこぼしながら言った。あまりにも純粋な怒りと憎しみに満ちた彼女の眼を正視することができず、僕は俯《うつむ》いたまま黙りこくった。

結局、何があったのか説明しないまま、僕は担任に連れられ淳君の家に謝りに行った。

インターフォンを押すと淳君のお母さんが出てきて、最初に担任がお母さんと話をしたあと、僕がお母さんに謝った。すると後ろの廊下から、リズム感のズレたスキップを踏みながら淳君が玄関までやってきて、

「Aや」

と、何事もなかったように、屈託のないいつもの笑顔で僕の名前を呼んだ。僕はたまらなくなって泣き出した。

お母さんは、淳君の頭を優しく撫《な》でながら、

「A君とこのおうちにはいつも感謝してるんよ。A君の弟さんも淳とよく遊んでくれてるし。これからも淳と仲良くしてやってね」

と言ってくれた。

家に帰ると、僕が淳君に暴力を振るったことが淳君と仲の良かった三男の耳にも入っていたようで、三男は僕のところへきて小声で尋ねた。

「A、今日、学校で淳君殴ったん？」

僕は気まずくなり、しどろもどろになりながら咄嗟《とっさ》に言い訳した。

「いや、ちゃうねん、あんな、淳君が先にちょっかい出してきてんな、ほんでな……」

僕が言葉に詰まると、もうそれ以上問い質すのは憐れだと思ったのか、弟は諭《さと》すようにこう言った。

「わかった。でも淳君は友達やから、もうせんとってな。なんかあったんやったら、俺に言ってくれたら、淳君にちゃんと話すから。約束してな」

その時の弟の顔が今でも忘れられない。僕を咎《とが》めるふうでもなく、なぜ自分の兄が、みんな見ているところで、自分と仲良しの友達を、血が出てたんこぶができるほど殴らなく

てはならなかったのか、さっぱり理解できず、ショックを受けているようだった。弟のその物哀しい表情は、ストレートに責められるよりも余計に辛く、胸が締めつけられた。

警察の取り調べでも、精神鑑定でも、僕は淳君に対して、憎しみも、愛情も持ったことはなく、淳君と自分との間の情緒的交流を一貫して否定し続けた。

人は、秘密を持つことで生きていけるのではないだろうか。それは自分の内側に設けるシェルターのようなもので、どんなに追い詰められようと、その中に逃げ込んでしまえば安心できる。体の自由を奪われようと、誰にも侵されることのない秘密の中では、人は自由に駆け回ることができる。

僕と淳君との間にあったもの。それは誰にも立ち入られたくない、僕の秘密の庭園だった。何人《なんぴと》たりとも入ってこられぬよう、僕はその庭園をバリケードで囲った。

凶悪で異常な根っからの殺人者だと思われても、そこだけは譲れなかった。誰にも知られたくなかった。その秘密だけは、どこまで堕《お》ちようと守り抜かなくてはならない自分の中の聖域だった。

淳君の愛くるしい姿を、僕は今でもありありと眼の前に再現できる。

身長は一四十センチ前後。細くさらさらとした栗色の髪には、いつも天使の輪が落ちていた。額は広く、肌の色は白く、少しぽっちゃり体型で、近付くと桃のような甘い匂いがした。眉は薄く、大きなアーモンド型の眼は、瞳の色素が薄く透き通り、きれいな虹彩の模様がくっきりと見えた。

淳君が初めて家に遊びにきたのは、ちょうど祖母が亡くなった頃だった。その時から僕は淳君の虜《とりこ》だった。淳君はすぐに僕の名前を覚えてくれて、近所や学校で僕を見かけると、すーっと僕のほうへ近付いてきた。

祖母の死をきちんとした形で受け止めることができず、歪《ゆが》んだ快楽に溺れ悲哀の仕事《グリーフワーク》を放棄した穢《けが》らわしい僕を、淳君はいつも笑顔で無条件に受け容れてくれた。淳君が傍にいるだけで、僕は気持ちが和み、癒された。僕は、そんな淳君が大好きだった。

街で淳君を見かけると、僕はよく、タンク山、向畑ノ池《むこうはたのいけ》、入角ノ池《いれずみのいけ》など、自分の好きな場所に淳君を連れて行った。

ある時、近所の公園で見かけた淳君と、隠れんぼをして遊んだ。僕が隠れる番になり、公園の植え込みに身を潜《ひそ》めて、そこから淳君の様子を窺《うかが》うと、始めのうちは楽しそうにはしゃいであちこち探しまわっていた淳君が、そのうち不安になったのか、急に僕の名前を呼んで声をあげて泣き出した。その瞬間、祖母のことを思い出した。ちょうど同じ公園で、僕が祖母に木登りを見せ、木のてっぺんに辿り着いたところで、「A、早ぉ降りてきて」と、僕を心配して泣き叫ぶ祖母の姿が、記憶のスクリーンに鮮明に映し出され、すぐそこで僕の名を呼び泣き喚《わめ》く淳君の姿とオーバーラップした。

自分は受け容れられている。自分が何をしても、しなくても、淳君は自分を好きでいてくれる。だがどういうわけか、僕は、自分が〝受け容れられている〟ことを、受け容れることができなかった。あの時祖母にしたように、淳君のほうへ駆け寄って、淳君を抱きしめることができなかった。穢らわしい自分、醜い自分が許容されることに、嫌悪感さえ感じた。

かつて僕をもっとも癒し安心させ悦ばせた、いかなるものも原型そのままに受容する水のような優しさが、この時の僕を脅かし、混乱させた。

あろうことか僕は、淳君がこちらに背を向けている隙に植え込みから抜け出し、泣き喚く淳君を公園に置き去りにしたまま、逃げるように家に帰った。

僕は、自分が、自分の罪もろとも受け容れられ、赦《ゆる》されてしまうことが、何よりも怖かった。余りにも強烈な罪悪感に苛《さいな》まれ続けると、その罪の意識こそが生きるよすがとなる。僕は罪悪感の中毒者《アディクト》だった。罪悪感は背骨のように僕を支えた。それを抜き取られると僕は、もう立っていられなかった。自分を許容されることは、自分を全否定されることだった。それは耐え難い、自分への〝冒涜《ぼうとく》行為〟に他ならなかった。

憎まれたい。責められたい。否定されたい。蔑《さげす》まれたい。ひりつくような罪悪感に身悶えしたい。それだけが〝生〟を実感させてくれる。

この数日後に、僕は学校で淳君を殴った。

グラウンドで淳君に暴力を振るったのは、淳君が僕にちょっかいを出してきたからでも、淳君が何か気に障《さわ》ることを言ったからでもない。あの日、淳君は、グラウンドをひとりでぶらぶら歩いていた僕に、リズム感のズレた独特のスキップを踏みながら近付き、僕の袖《そで》を引いて、

「吊り輪、吊り輪」

と、天使のような笑顔で、グランドの隅の吊り輪を指差し、僕に一緒にそこへ行ってもらえるように促しただけだった。

――自分は受け容れられている――

どういう心理の捩れが生じればそうなるのか、この世界にいっさいフィルターをかけることなく、美しいものも醜いものも、視界に入るすべてのものをありのままに取り込んだ淳君のきらきら輝く瞳に、自分も含まれてしまうことが、耐えられなかった。僕は自分が侵され、溶かされていくような激しい恐怖に囚われ、気がふれたように淳君にとびかかり、馬乗りになって殴りつけていた。

いったい誰が信じられるだろう。受け容れられることで深く傷つくような、蛆がわき蠅がたかるほどに腐敗した心がありうるということを。

僕は、淳君が怖かった。淳君が美しければ美しいほど、純潔であればあるほど、それとは正反対な自分自身の醜さ汚らわしさを、合わせ鏡のように見せつけられている気がした。淳君が怖い。淳君に映る自分が憎い。

淳君が愛おしい。傍に居てほしい。

淳君の無垢な瞳が愛おしかった。でも同時に、その綺麗な瞳に映り込む醜く汚らわしい自分が、殺したいほど憎かった。

淳君の姿に反射する自分自身への憎しみと恐怖。僕は、淳君に映る自分を殺したかったのではないかと思う。真っ白な淳君の中に、僕は〝黒い自分〟を投影していた。

「抱きしめたい気持ち」の白い縦糸。

「無茶苦茶にしたい気持ち」の黒い横糸。

その白黒の糸を通した二本の針が、僕の心を交互に突き刺し、隙間なくぎっちりと縫い塞《ふさ》いだ。

淳君の瞳が映し出す醜い自分を消し去り、綺麗な淳君を自分のそばに引き留《とど》めたい。

この二年後、僕は淳君と自分自身を、タンク山で同時に絞め殺してしまった。

僕の頭上に、虚っぽの空が拡がっていた。太陽は太陽であってもう太陽でなく、雲は雲であってもう雲ではなかった。

精神狩猟者《マインド・ハンター》

七月二十五日。

警察での取り調べがすべて終了し、僕は須磨警察署から神戸少年鑑別所へと身柄を移された。腰縄と手錠をかけられ、護送車に乗り込む時、その場に居合わせた、取り調べを担当した刑事が僕に声をかけた。

「おい、もぉ殺しはやめとけよ。アレは癖になってまうから。次やったらどうなるかわかっとおな？」

無視してそのまま護送車に乗り込もうとすると、彼とペアを組んで取り調べにあたった眼の小さな刑事がこちらにツカツカと歩み寄り、両手で僕の肩を掴んでこう言った。

「悪かったのぅ。もっと早ぉに捕まえてやれんで」

痰が絡んだゴロゴロした声だった。彼の声を聴くのはこの時が初めてだった。僕は小さく会釈をし、護送車に乗り込んだ。

この日、須磨警察署の捜査本部が解散した。

三十分ほど車に揺られ、神戸少年鑑別所に到着した。ブルーシートのトンネルを抜け、鑑別所の建物の中に入ると、腰縄と手錠を外され、鑑別所の職員に連れられて、今にも蝙《こう》蝠《もり》が飛び出してきそうな狭く薄暗い廊下を奥へ進んだ。廊下の突きあたりの部屋に通されると、木製の執務机を挟んだ向こうに立つ、五十代半ばくらいの円空仏のような温和な顔をした鑑別所の所長らしき人から名前と生年月日を訊かれたあと、鑑別所の生活の流れやルールなどの説明を受け、独房へ案内された。

独房は三畳一間で、奥の一畳分のスペースの左側に洗面所、右側にトイレがある。便器を隠すように一メートル四方ほどのベニヤ板のついたてがあり、そのついたてを支えるように敷布団とタオルケットが畳んで置かれていた。鉄格子の窓は外側から一面ブルーシートで覆われ、天井には二十ワットの蛍光灯、蛍光灯のすぐそばにアクリルパネルが嵌《は》め込まれ、パネルの奥からは監視カメラのレンズが覗《のぞ》いていた。部屋に入ってすぐ左にテレビ、テレビの横には書き物用の小さな卓袱台《ちゃぶだい》、入口から向かって左側の壁には造り付けの小さな木製の本棚、扉の上の壁にはラジオのスピーカーが埋め込まれていた。

鑑別所の日課は、朝七時起床で午前中に臨床心理士や家裁の調査官との面談、弁護士たちとの面会があり、午後からは課題作文。夜は就寝前に一時間ほどテレビ視聴があり、九時に消灯・就寝。留置場でもそうだったが、電気が完全に消されることはなく、独房の中の様子が監視できるように薄暗くする程度だった。入浴はここでも週二回。

独房にいる時はだいたい何もせず、留置場にいた時と同じように房の壁に背中を凭《もた》せかけ、この部屋の前の住人が暇を持て余しボールペンで壁に刻んだ落書きと睨《にら》めっこをして過ごした。

何が辛いかといって、煙草が吸えないことだ。当時僕は赤マルを一日一箱は空けていた。煙草のことばかり考えていると、ガチャンと大きな音が鳴り、独房の扉が開いた。

「採血するから出てこい」

棟梁《とうりょう》だ。歳は四十代半ば。

彼に連れられ診察室へ向かった。部屋に入ると、まだ準備が整っておらず、ショートカットで縁なし眼鏡をかけた、不器用そうで大人しい雰囲気の若い女性看護師が、採血台の上に並べられた道具をガチャガチャと落ち着きなくいじりまわしていた。

「そこ座っとれ」

棟梁に促され、採血台の前の丸椅子に腰掛けて準備が整うのを待った。

ふとした拍子に看護師の手元からアルコールか何かの薬品が撥《は》ねて僕の左眼に入った。眼にいきなり熱湯を注がれたような激痛が走り、僕は咄嗟《とっさ》に左眼を手で押さえ立ち上がった。僕の急な動作に看護師が驚いて声をあげ、後ろにいた棟梁は僕が暴れ出したように見えたのか、

「お前なんや！」

と怒鳴りながら僕の両腕を掴み、そのまま後ろ手にして関節をキメた。小柄だが物凄い腕力だった。両手を封じられてからも、眼の痛みはどんどん激化した。看護師が僕の眼の異変に気付き、

「あっ、ちょっと、なんか（眼に）入ってるみたいです」

と、脱脂綿を手に恐る恐るこちらに近付いた。僕は、触るな！といわんばかりに思い切り眼を瞑《つむ》り、顔を下に背けた。

「ええわ、ちょっといっぺん戻しますわ」

棟梁はそう言って、後ろ手に関節をキメたまま僕を診察室から連れ出した。

独房に戻されると急いで洗面所で眼を洗った。左眼の奥が心臓の鼓動にぶたれるようにズキズキと痛んだ。タオルで顔を拭きながら、畳の上にへたり込んで壁に凭れた。

少しパニクっていたようだ。反射的にズボンのポケットに手を突っ込み、あるはずのない煙草を弄《まさぐ》っていた。


八月に入ると精神鑑定が始まった。

鑑定医の意向で審判は一旦中断され、弁護士や家庭裁判所の調査官との面接もしばらくなくなり、犯行時の僕の精神状態の解明が最優先事項となった。僕は六十日間かけて、鑑定医との面接や膨大な量の心理テストを受けることになった。

初顔合わせの日、面談室に通されると、二人の鑑定医が待っていた。部屋の片隅のパイプ椅子に腰掛けた六十歳前後の老紳士は、白髪のオールバックにティアドロップの眼鏡、チャコールグレイのスーツを着ていた。僕に椅子に座るよう促してから、デスクを挟んだ向かい側に座ったもうひとりは四十代後半くらい。ネクタイなしのYシャツにスラックス、ボサボサに伸びた髪を真ん中で分けていた。僕の鑑定を依頼されたのは、部屋の隅のパイプ椅子に腰掛けた老紳士だったが、実際に面談を担当したのはその助手であるこの人のほうだった。仮に「ワトソン」と呼んでおく。

「初めまして、こんにちは」

ワトソンはほとんど口を動かさず、ぼそぼそとつぶやくように言った。初めてワトソンと面と向かったこの時から、僕は全身が強張《こわば》るのを感じた。ダフネ君を殴った二日後の五月十六日から逮捕される四日前の六月二十四日まで通った児童相談所の職員とも、取り調べにあたった百戦錬磨の刑事とも、明らかに異質なオーラを放っていた。

優れた精神分析医は狩猟者《ハンター》だ。患者の精神のジャングルの奥深くに逃げ込んだ本性《ケモノ》の足跡を辿り、逃げ道を先回りし、さまざまな言葉のトラップを用いて、根気強く、注意深く、じわりじわりと追いつめていく。そんな、人の心を見抜くために高度に訓練された者だけが持つ、無言の威圧感……。それまでは相手が誰であろうと、自分が隠したいと思ったことは見抜かれない自信があった。だがワトソンの眼は、まるでこちらの言葉の裏にある本心を見透かしているようで、不気味だった。

鑑定に一切協力せず、ダンマリを決め込むこともできた。だが僕は、未だかつて遭遇したことのないタイプの〝強敵〟を目の当たりにし、心が震えた。武者震いだった。恐怖心は一瞬にして闘志へと挿《す》げ替わった。

隠したいことは隠したまま、それまでせっせと溜めこんだ異常快楽殺人のマニアックな知識を総動員して、自分が思い描くとおりの「異常快楽殺人者」のイメージ像をこの人に植え付けたい衝動に駆られた。

〝イメージ〟と〝情報〟と〝言葉〟。この三つが僕のリーサルウェポンだった。

十四歳当時、まだ一般に携帯電話は普及しておらず、僕の知る限り近所にネットをつないでいる家は一軒もなかった。それでも〝情報化社会〟の波は急激に押し寄せていた。自覚はなかったが、その頃から僕はどうやら〝情報ジャンキー〟のようだった。携帯電話やネットがなくても、テレビの前に何時間も座り、暇さえあれば本屋に入り浸《びた》って立ち読みをする。それだけで自分が知りたいことは何でも知ることができた。僕の興味はいつも限局されている。決して幅広く情報を採集したりはしない。興味のないことには恐ろしく無知である。こういった人間はたいていの場合、時代の潮流に乗り切れずポツンと取り残されてしまうのが常だが、どういうわけか僕の触角は、いつもその時代その時代をもっともよく象徴するジャンルにピンポイントで引っかかってしまう。そしてその極めて小さなスペースを掘り進めるうちに「時代の水脈」に行きあたってしまうのだ。

僕は知っていた。カメラレンズを絞るように、眼を窄《すぼ》め、視界を制限することで、事物の解像度《シャープネス》が増すことを。「井の中の蛙大海を知らず、されど空の高さを知る」とはこのことだろうか。

ネット社会に生きる僕たちが普段、無意識に吸っては吐き出している「空気」は、〝酸素〟と〝窒素〟と〝情報〟から成っている。僕たちは呼吸するたびに、夥《おびただ》しい数の情報を取り込んでは垂れ流す。

〝弱肉強食〟の観点から見た場合、世の中には二種類の人間しかいない。〝情報を生み出せる人間〟と、〝情報を受け取ってシェアするだけの人間〟だ。前者が〝強者〟で、後者が〝弱者〟となる。

どんな情報を持ち、どんなツールを使い、誰に向かって発信するかで、この社会におけるその人の立ち位置や価値が決まる。

カネもコネもないのであれば、手の届く場所にあるツールは何でも使い、〝情報の武装化〟を推し進めるしかないのだ。

簡単な自己紹介が済むと、ワトソンはいきなりこんな質問をした。

「嫌だったら答えなくていいんだけども、君はマスターベーションの時にどんなことをイメージするの？」

彼はのっけから核心に斬り込んだ。僕は内心、動揺しまくった。

なぜだ？

なぜわかったんだ？

誰にでもまずその質問をするのか？

それとも僕に会う前から、僕が性に深刻な問題を抱えているのではないかと〝アタリ〟をつけていたのか？

面談室から逃げ出したくなった。ヘタな小細工やまったくの作り話が通用する相手ではない。〝肉を切らせて骨を断つ〟でいくしかない。僕は祖母の部屋での精通と淳《じゅん》君に抱いていた両価的《アンビバレンス》な想いだけを隠し、あとは極端に事実を捻《ねじ》曲げたりせずに、自分なりに考えた「史上最年少シリアルキラー」のストーリーに沿って話すことにした。

簡単に理解させはしない。それは僕の精神のジャングルに分けいってくるこの孤独な狩猟者への、僕なりの〝礼儀〟だった。

僕は動揺を悟られないように平静を装いながら静かに答えた。

「人を殺して身体を裂き、内臓を貪《むさぼ》り喰うシーンを想像します」

ワトソンは後ろの老紳士のほうをチラリと見て視線を交わした。やはり最初からアタリをつけていたのだ。事実のちに彼らは、

「この最初の質問で事件の構図の九〇パーセントが把握できた」

と語った。

僕は、淳君と自分との間にあった情緒的な関与については、彼がいくら、

「本当に誰でも良かったの？」

「相手が淳君じゃなくてもあそこまでやったの？」

とカマをかけても、常套句的に「何もありません」と否定し続けた。その不自然な一貫性が、逆に淳君と僕の間には何かがあるという確信を彼の中に芽生えさせたようだった。

性障害について話すのは辛くて嫌で仕方なかった。その話になるといつも祖母の顔が頭をよぎった。

僕はワトソンに畏怖の念を抱いたが、同時に個人的な「好感」も持った。人間の精神を〝分析〟して〝カテゴライズ〟することが彼の仕事ではあるが、彼自身は〝理解する〟ことよりも、〝自分の理解が及ばないもの〟との遭遇を求めているように見えた。

彼の中に、自分と同じ〝屈折した探求者〟のニオイを嗅ぎ取った。僕も彼も、ある意味、自身の〝快楽〟に忠実な人間だった。

〝快楽〟とは何か?

大藪春彦著『野獣死すべし』の中に、快楽についてのこんな記述がある。

現世の快楽を極《きわ》めつくし、もうこの世に生甲斐《いきがい》が見出《みいだ》せなくなった「時」が来たら、後はただ冷やかに人生の杯を唇《くちびる》から離し、心臓に一発射ち込んで、生れて来た虚無の中に帰っていくだけだ。

彼にとって、快楽とは何も酒池肉林のみを意味するもので無かった。キャンバスに絵具を叩きつけるのも肉体的快楽であり得たし、毛布と一握りの塩とタバコと銃だけを持って、狙《ねら》った獲物《えもの》を追って骨まで凍る荒野を、何か月も跋渉《ばっしょう》する事だって、彼には無上の快楽となり得た。

快楽とは、生命の充実感でなくして何であろうか。

大藪春彦『野獣死すべし』

〝快楽の定義〟についてこれほど完璧に書かれたものが他にあるだろうか？　誰もが〝聖者〟と崇める歴史上の偉人たちも、その実、自らの個人的快楽に飼われていただけではないのか？

インド建国の父、マハトマ・ガンジー。

十三歳で妻を娶《めと》った彼はセックス中毒になり、セックスに明け暮れ父親の死に目にも会えなかった。

それが三十六歳のある日、突然「自分はこのままではいけない」とセックスを断つ決意をし、以来妻には指一本触れず、完璧な禁欲生活に入る。

性欲旺盛な男性が「射精を我慢する」ことは、地獄のような責め苦であったに違いない。超人的な意志力の持ち主だと思われがちだが、彼は単に、湧き上がる性的衝動を〝抑圧する〟ことのほうに、性欲を〝解放する〟以上の肉体的快楽を見出しただけではないだろうか。ある意味究極のマゾヒストとも言える。

非暴力・不服従にしたって、いろんなゴタクを並べる前に、激しい怒りの衝動を〝抑圧する〟ことが、彼にとってはセックス以上に「気持ちよかった」だけなのだろう。

二十世紀最大のカリスマ、キューバ革命の雄〝赤いキリスト〟エルネスト・チェ・ゲバラ。

ジョン・レノンをして〝世界一かっこいい男〟と言わしめたこのワイルドな聖戦士は、革命が成就したあと、誰に欲されたわけでもないのに地位も名誉もゴミ屑のようにかなぐり捨て、一《いち》ソルジャーとして戦場に還り、神話となった。

ゲバラは「激しい戦闘のさなかにこそ生を実感できる」と語り、「君は革命が成就したあとにこそ必要だ」というカストロの忠告も聞かず、命の危険も顧みず常に最前戦で戦った根っからの戦闘ジャンキーだ。

幼い頃から喘息の発作に悩まされ、いつも死を身近に感じていたゲバラにとって、生と死は磁石のS極とN極のように引かれあい、死に近付けば近付くほどに体内から湧き上がる、内臓を掻き分け肉と皮膚を突き破ってくるような激烈な〝生の磁場〟に酔い痺れていたのだろう。

一般的な酒池肉林の快楽に彼らが目もくれなかったからといって、彼らをストイックな聖者と決めつけるのは早計だ。どう控えめにみても、彼らは立派な〝ド変態〟としか思えない。

人の数だけ快楽の種類はある。

僕の精神鑑定にあたったワトソンは、人間の精神のジャングルの奥深くに分け入り、そこに潜《ひそ》む〝異常心理〟という獲物を仕留めることに、その獲物を追いつめるプロセスそれ自体に、無上の快楽を覚える一種の〝変態〟であったように思えてならない。

僕は彼のそこが好きだった。

咆哮《ほうこう》

精神鑑定が始まって一か月ほど経った九月中旬。

昼過ぎに、突然房の扉が開いた。その日は鑑定面接の予定は入っていなかった。

「面会やで」

シラノだ。四十代前半くらい。いつもは誰が面会に来たのか僕に伝えるのだが、この時はなぜか言わなかった。

シラノに連れられこぢんまりした面談室に通された。

正方形のテーブルの向こうにふたつ並んだパイプ椅子に、母親と、父親が並んで座っていた。

不意打ちもいいところだ。何を訊かれても感情の動きを表に出さない僕に業を煮やした誰かが、僕から生《なま》の反応を引き出すために、謀《はか》ったとしか思えなかった。家裁関係者か、鑑定人か。

精神鑑定が始まってからというもの、僕はいつも以上に感情を表に出さないよう努めた。自分をコントロールすることだけにひたすら意識を集中した。そんな状況で、よりにもよって、自分のいちばんの弱点を突かれたのだ。

シラノに促され椅子に座ると、僕は母親と眼を合わさぬようテーブルのあらぬ一点を見つめた。

母親が、涙まじりにポツポツと話し始めた。

「A、体調はどないなん？　また痩せたんとちゃう？　ご飯はちゃんと食べとんの？」

家に居た頃と変わらない、僕を気遣う母親の優しい言葉と表情に胸が締め付けられた。僕は俯《うつむ》き、じっと耐えたが、こらえ切れなくなり、気付くとマシンガンと化した涙腺から、涙の弾を連射していた。

次いで父親が口を開いた。

「ええか、A。これだけは言うとくぞ。たとえ何があったにせよ、おまえはお父さんとお母さんの息子や。せやから――」

父親の言葉を遮って、僕は尻に画鋲でも刺さったように勢いよく椅子から立ち上がり、テーブルに両手をついて母親を睨《にら》みつけ、唾飛沫《つばしぶき》を撒《ま》き散らしながら、こう叫んだ。

「あんなに会わんて言うとったのに、何で来たんやぁー！」

その言葉は母親にのみ向けられていた。父親の姿は視界に入らなかった。割れた、ドスの効いた声だった。自分の声ではないような気がした。それまで一度も大声で怒鳴ったことなどなかった。僕はこの時、自分の叫び声を生まれて初めて聴いた。

これまで一度も見せたことのない、僕のあまりの剣幕に、母親はよその子を見るような眼であっけにとられてポカンと口を開けた。

僕のほうも、自分の吐いた言葉に驚いた。

——なんだ？　何を言ってるんだ僕は？——

母親を睨みつけながら僕の眼からは、とんでもない勢いで大粒の涙が雪崩《なだ》れ落ちた。十四年間、身体の内側に流し続けていた涙が、一気に体外へ逆流したかのようだった。僕の顔の下で滝行が出来るのではないかと思えるほどだった。

母親は、震える手で恐る恐る僕のほうへハンカチを差し出した。

僕はそのハンカチを乱暴にぶん取り、

「いらん事すんな！」

と言って、母親の顔に投げつけた。

母親の顔に当たったハンカチが、ひらりと床に落ちた。母親はあまりのショックにハンカチを拾うこともせず、唇を痙攣《けいれん》させながら、何か言わなくてはと、必死に言葉をひり出そうとしていた。

「なんでって……。母さんあんたのことが心配——」

声が震えていた。僕はその言葉を遮ってとどめを刺した。

「はよ帰れやブタぁー！」

そこまで言うと僕は、電池が切れたように椅子にへたり込み、両腕をダランと下げ、電気椅子で処刑された死刑囚のようにガクンと深く首を垂れた。半開きの眼は涙の膜で覆われ、僕の世界は涙の海に沈んだ。

シラノが近寄り、後ろから僕の両脇に両腕を差し込んで強引に立たせると、そのまま引き摺《ず》るように僕を面談室から連れ出した。

部屋に戻る途中、廊下で家裁の調査官三人とすれ違った。

――やっぱりおまえらか……――

白々しく会釈する彼らを一瞥《いちべつ》して、部屋に戻った。

洗面所で顔を洗い、涙の痕跡を消そうと努めた。

あんな大声を出したのは初めてだった。声帯が火傷をしたようにヒリヒリと痛んだ。

タオルで顔を拭い、少し落ち着くと、胸の中で一点の黒いシミがみるみる拡がった。

母親に放った自分の怒鳴り声が、自分の中に反響した。

母親に向かって、何てことを言ってしまったんだろう……。涙を流す母親の顔が、僕を見つめる彼女の怯《おび》えた眼が、頭から離れなかった。

両親と面会してから二日目の夜、鑑別所の日誌に、

〝母親に謝りたい〟

と一言だけ書いて提出した。しばらくすると、日誌を読んだ当直のシラノが独房の前にきて、

「おい、ちょっとこっち来い」

と、僕を呼んだ。

「お母さんに会いたいんか？」

「はい」

「落ち着いて話できるんか？」

「ただ謝りたいだけです。もう怒鳴ったりしません」

「わかった。ほな伝えとく。それはそうと、そろそろ飯食うたらどないや？　ずっと食わへんつもりなんやったら、点滴せなあかんようになる。それはおまえも嫌やろ？」

僕は母親と面会してから、食事を摂《と》らなかった。

「母親に謝ってから食べます」

僕が答えると、シラノは言った。

「あかん。明日の朝からちゃんと食べるんやったら、お母さんに伝えたる。それが条件や。ええな？」

僕は頷《うなず》き、翌朝から食事を摂った。

母親を怒鳴り散らしてから三日後の午前中、シラノが独房の前にきて言った。

「おい、お母さん今日の昼過ぎに来てくれるらしいぞ。よかったな。ほんで、おまえお母さんに会う前に髭ぐらい剃ったらどないや？」

前に述べたように、僕はこの頃鏡を見るのが嫌で、髭を剃らなかった。

「いえ、別にいいんです」

シラノは今度は「それが条件や」とは言わなかったが、納得いかないような小さな溜息をついて、職員待機室へ戻った。

その日は入浴日だった。入浴は通常午後から、いつもは他の少年たちの入浴（だいたい二、三人ずつ入っていた）が終わったあとに個別で入浴していたのだが、シラノが気を利かせてくれたのか、この日は昼食前にシラノともうひとりスポーツ刈りの若い職員が来て、最初に入浴させてくれた。浴場で身体を洗っていると、ズボンの裾をまくったシラノが洗い場に入り、僕の後ろに立って言った。

「顔に泡つけろ。剃ったるから」

彼は右手に、ビジネスホテルにあるような使い捨ての安っぽいT字カミソリを持っていた。僕は他人との身体的接触を極端に嫌う。断りたかったが、シラノの有無を言わせぬ口調と態度を見て、断っても無駄だと諦めた。

「自分で剃ります」

シラノからT字カミソリを受け取り、石鹸を泡立てて顔に泡を付け、左手で髭の感触を確かめながら、慣れない手つきでぎこちなく自分の髭をあたった。髭を剃ることに慣れておらず、顎の肉を軽く削《そ》いでしまった。

入浴を終え部屋に戻ると、机の上に用意された昼食を食べ、歯を磨き、母親が面会に来るのを待った。

——怒っているだろうか？　許してくれるだろうか？——

落ち着かなかった。一刻も早く母親に謝りたかった。

三十分ほど経って、シラノが迎えに来た。シラノに連れられ、三日前に母親を怒鳴り散らした面談室に通された。長い三日間だった。

前回と同じように、テーブルを挟んだ向かい側の椅子に母親が座り、テーブルの上にはブレスレット型の珠数が置かれていた。母親の表情にはどこか怯えの色が挿《さ》していた。

——母さんが僕を怖がってる——

僕はそれがたまらなく辛かった。

母親の前に座り、僕は泣きながら謝った。

「母さん。こないだは、あんなひどいこと言うてごめん。ほんまに悪かった」

母親も涙を流し、自分の口を手で抑え、気にしなくていいというふうに首を左右に振った。それから僕のほうへ、また恐る恐るハンカチを差し出した。僕はそのハンカチを今度はそっと受け取り、涙を拭った。母親が口を開いた。

「ええねん。お母さん嬉しかった。あんたが初めて正直な感情をぶつけてくれた気がして」

違う。そうじゃない。あれは僕の本心じゃない。

しばらくの沈黙のあと、僕はどうしても母親に伝えたかったことを言った。

「母さん、よう聞いてな。僕は病気やねん。僕がこんなふうになってもぉたんは、母さんのせいとちゃうねん。誰のせいでもないねん。せやから、母さんには自分を責めんとってほしい」

母親が僕に尋ねた。

「病気って、何の病気やの？　あんたはどこも悪くない。優しくて、怖がりで、ええ子や。その気持ちは母さん今も変わってへんよ。なんで、なんで相談してくれへんかったん？あんたが何か悩みがあるんやったら、母さん、なんぼでも力になってあげたのに。なんで言うてくれへんかったの？」

僕は、ぼそっとつぶやくように言った。

「知らんほうが幸せなこともあるやろ？」

母親は高速で眼を瞬《しばた》いた。

「何を、何を言うんよA！　自分の子供のことは何でも知っときたいのが親やろ？　知らんで幸せなことなんか、あるはずないやんか……」

言い終えると、母親はテーブルに突っ伏して噎び泣いた。僕はどう声をかけたらいいのかわからなくなってしまった。

母親が泣き止むと、僕は話を逸らそうと、テーブルの上に置かれた珠数を指差して母親に尋ねた。

「その数珠、何？」

母親は涙を拭いながら顔をあげて答えた。

「あぁ、これ？　あんた、ちょっと前に珠数欲しい言うとったやろ？　おばあちゃんの墓参りに行きたい言うて……。なんか母さん、急にそれ思い出して、買うてきたんよ」

僕は逮捕される二週間ほど前、母親に珠数をねだり、祖母の墓参りに連れて行って欲しいと頼んだ。逮捕されることを予感して、祖母に別れを告げたかったのだろうか。自分の罪を、洗いざらい懺悔《ざんげ》したかったのだろうか。自分がその時何を考えていたのか、本当のところ、今でもよくわからない。結局、祖母の墓参りに行く前に逮捕された。

母親との面会は十五分ほどで終わった。母親は珠数をシラノに預けた。母親から受け取ったハンカチも手元に置きたかったのだが、それは許可されなかった。

独房へ戻ると、扉を閉める前にシラノが言った。

「話できて良かったのう。少しはすっきりしたか？」

僕は小さく頷いた。シラノも小さく頷き、扉を閉め鍵をかけると、職員待機室へと戻った。

しばらくすると、またシラノが独房の前に来て、母親が差し入れた珠数を僕に手渡した。半透明の藤色のプラスチック玉の連なりに、観音菩薩の足元に一匹の犬が蹲《うずくま》るデザインの入ったプレートが付いていた。犬は僕の干支《えと》だった。安物にしてはなかなか凝った細工で、透明なプレートに線だけで描かれた観音菩薩と犬のデザインは、表側から見ると金色で、裏側から見ると銀色だった。観音菩薩を封じ込めたプレートを、金、銀、金、銀、と、クルクルひっくり返しながら、僕の意識はそこから三年前の記憶へと遡った。

小学五年の時、僕は盲腸の手術を受け、三日間入院した。時期的には、祖母が亡くなり、家族の眼を盗んでは祖母の部屋で冒涜《ぼうとく》の儀式を繰り返していた頃にあたる。

夜中に、僕は激しい腹痛に襲われ、眠ることができず、ベッドの上で身悶えした。僕の呻《うめ》き声を聴きつけてやってきた母親が、ただの腹イタだと思い、ホッカイロの入った腹巻を僕のお腹に巻いた。この処置がまずかったのか、腹痛はますます激化し、僕は上半身を起こすことさえできなくなった。

――バチがあたったんだ。これは祖母の祟りだ――

僕は本気でそう思った。肉体は腹痛に、精神は罪悪感にいたぶられ、僕は嗚咽《おえつ》した。ふたたび様子を見に来た母親が、どう見てもただの腹イタではないと察知し、起き上がることができない僕をおぶって車まで行き、そのまま後部座席に寝かせると、車を出して救急病院へ向かった。

病院の駐車場に車を乗りつけると、母親はまた僕をおぶって救急外来の受付へと走った。検査室のベッドの上に寝かされ、薄手のビニール手袋を嵌《は》めた医師が軟膏を塗った指先を僕の肛門に捩じ込んだ。灼《や》け火鉢を突き刺されたような激痛が、肛門から脳天まで突き抜けた。

「痛い！　やめて！」

暴れる僕の両肩を大柄な中年の女性看護師が抑えつけた。

それが終わると今度は腹部全体にひんやりとしたジェルを塗られ、エコー検査を受けた。医師が言った。

「お母さん。すぐ手術します。盲腸やけど、炎症がひどい。破裂寸前です」

腹膜炎を起こす一歩手前だった。ベッドの上で服を脱がされ、手術着を着せられると、ストレッチャーに移され、麻酔用のマスクを口にあてがわれた。麻酔が効き始め、僕は意識を失った。

眼を覚ますと、ぼんやり霞《かす》んだ視界に、母親の顔が映った。母親は一晩中僕に付きっきりだった。母親は心配した表情で僕の名前を繰り返し呼んだ。その母親の顔を見た途端、僕は大声をあげて激しく暴れ出した。

「なんやねん！　ここどこや！　外せやコレ！」

両腕がベルトで固定されていた。全身麻酔から覚めた時に泣き叫んで暴れる「覚醒時興奮」だった。若年者に多くみられるという。

母親が僕の肩を摑んで言った。

「A、大丈夫やで。手術終わったから、もう大丈夫やからな」

「うるさい！　ええから起こせ！」

そばにいた医師と看護師が両腕のベルトを外し、僕を起こした。上体を起こすと手術の傷が痛み、自分で「起こせ」と言っておきながらすぐにまたベッドに倒れた。泣き続ける僕の髪を、母親が優しく撫《な》で続けた。

後日、母親はこの時のことを冗談交じりに話した。

「あの時あんた、お母さんの顔見て、安心したんとちゃう？」

僕は恥ずかしくて、覚えていないふりをした。

そう、その通りだと思う。盲腸の手術が終わって眼が覚めた時と、鑑別所で母親に悪態をついてしまった時の僕の気持ちは、同じだ。母親の顔を見て安心したんだ。あの罵声は本心じゃない。ずっと母親にそのことを伝えたかった。あの時の、涙を流す母親の顔が、僕を見つめる母親の怯えた眼が、ずっと頭から離れない。胸の中にしこりとなって残り、今なお僕を苦しめる。

家に居た頃、居間のテレビでよく母親と一緒に映画を見た。面白そうな映画を選んでは、母親に「洗い物はあとにして一緒に見ようよ」と声をかけた。僕は母親とコメディー映画を見るのが好きだった。映画が見たかったわけじゃない。映画なんかどうでも良かった。おかしな映画を見て、自分の隣で声をたてて笑う母親の笑顔が見たかっただけだ。僕がこの世でいちばん好きだったものは母親の笑顔だった。

キッチンで母親と二人っきりになると、僕は毎度のように、

「兄弟三人の中で誰がいちばん好き？」

と、母親に尋ねた。すると母親は唇の前に人差し指を立てて、ヒソヒソ声でこう言った。

「あんたに決まっとおやん」

実際は母親の愛情は兄弟三人に分け隔てなく、まったく平等に注がれていた。僕を喜ばせるために、母親がそう言ったことは知っていた。でも僕は母親の「いちばん」になりたかったのだと思う。僕は母親の笑顔が大好きだったのに、なぜ母親をあんなに泣かせるようなことをしてしまったのだろう……。

母親を憎んだことなんてこれまで一度もなかった。事件後、新聞や週刊誌に「母親との関係に問題があった」、「母親の愛情に飢えていた」、「母親に責任がある」、「母親は本当は息子の犯罪に気付いていたのではないか」などと書かれた。自分のことは何と言われようと仕方ない。でも母親を非難されるのだけは我慢できなかった。母親は事件のことについ

てはまったく気付いていなかったし、母親は僕を本当に愛して、大事にしてくれた。僕の起こした事件と母親には何の因果関係もない。母親を振り向かせるために事件を起こしたとか、母親に気付いてほしくて事件を起こしたとか、そういう、いかにもドラマ仕立てのストーリーはわかりやすいし面白い。でも実際はそうではない。子供の頃は誰だって自分だけの秘密の世界を持ち、まったく異なるふたつの世界を同時に生きるものだ。普通とは違ったものに興味を持ったり、妙な物を集めたり。そんな秘密の世界に耽溺している時に、親の顔が頭に浮かぶだろうか。完全に自己完結した、閉じられた自分だけの世界で〝独り遊び〟に興じる時に、周りのことなど見えるだろうか。

僕は「事件」と名の付くものは、どんな事件であっても、人が想像する以上に「超極私的」なことだと捉えている。事件のさなか、母親の顔がよぎったことなど一瞬たりともなかった。須磨警察署で自白する直前になって、初めて母親のことを思い出した。あの事件は、どこまでもどこまでも、僕が「超極私的」にやったことだ。母親はいっさい関係なかった。

「僕の母親は、〝母親という役割〟を演じていただけ」

「母親は、ひとりの人間として僕を見ていなかった」

少年院に居た頃、僕はそう語ったことがある。でもそれは本心ではなかった。誰もかれもが母親を「悪者」に仕立て上げようとした。ともすれば事件の元凶は母親だというニュアンスで語られることも多かった。裁判所からは少年院側に「母子関係の改善をはかるように」という要望が出された。そんな状況の中で、いつしか僕自身、「母親を悪く思わなくてはならない」と考えるようになってしまった。そうすることで、周囲からどんなに非難されても、最後の最後まで自分を信じようとしてくれた母親を、僕は「二度」も裏切った。

僕は自分のやったことを、母親にだけは知られたくなかった。それを知った上で、母親に「自分の子供」として愛してもらえる自信がなかったからだ。でも母親は、僕が本当はどんな人間なのか、被害者にどれほど酷いことをしてしまったのか、そのすべてを知っても、以前と同じように、いやそれ以上に、ありのままの僕を自分の一部のように受け容れ、愛し続けてくれた。「役割を演じている母親」に、そんなことができるはずがない。母親の愛には一片の嘘もなかった。僕が母親を信じる以上に、母親は僕を信じてくれた。僕が母親を愛する以上に、母親は僕を愛してくれた。

あんなに大事に育ててくれたのに、たっぷりと愛情を注いでくれたのに、こんな生き方しかできなかったことを、母親に心から申し訳なく思う。

母親のことを考えない日は一日もない。僕は今でも、母親のことが大好きだ。

金、銀、金、銀、金、銀、金、銀……。

鑑別所の独房で、母親のことを想い、観音菩薩と犬のデザインがあしらわれた数珠のプレート部を、僕は時間が経つのも忘れてくるくるとまわし続けた。

気付くともう陽《ひ》が落ちていた。窓に眼をやると、昼の空が剥《は》がれ落ちてへばりついたようなブルーシートが、房の明かりに照らされテラテラと光っていた。

壁に据えつけられたラジオのスピーカーからは、PUFFY《パフィー》の「渚にまつわるエトセトラ」が流れていた。その明るく弾んだ歌声は、わけもなく僕の気持ちを滅入らせた。

審判

一九九七年十月十七日。

神戸家庭裁判所。

六十日間に渡る精神鑑定を終え、この日、僕の処分が言い渡された。

「ちょっと、A君。A君！」

裁判官に二回名前を呼ばれ、僕は重いシャッター扉を持ち上げるようにゆっくりと瞼《まぶた》を開いた。ぼやけた視界に、大きな木製のテーブルが映る。そのテーブルの向こうに、白髪で色黒、おっとりしたタレ眼が印象的な五十代前半くらいの男性が座っている。彼が僕の審判を担当した裁判官だった。裁判官は一語一語、もわもわっと膨らませるような、独特な喋り方をする。

左右の壁際に並べられた椅子には、五人の弁護士、四人の家裁調査官、二人の精神鑑定医が座り、僕は部屋の真ん中に置かれた青緑色のソファーベンチに、両脇を棟梁とシラノに挟まれて座っていた。僕のすぐ後ろの席には両親がいた。

僕が顔を上げると、裁判官が言った。

「これは、君自身のことなんやから、ちゃんと眼ぇ開けて聴いといてくれますか？　裁判官から見とると、たまに寝とるように見えますよ」

僕はうんともすんとも言わず裁判官の顔をぼんやり眺めた。彼の声質も手伝ってか、彼と自分の間に透明な膜でもかかっているように、彼の声がくぐもって聴こえた。

棟梁が僕の背中とソファーベンチの背もたれの間に右拳をこじ入れ、左手で僕の胸を後方に軽く押し、

「シャンとせぇや」

と言って、僕の姿勢を無理やり真っ直ぐに伸ばした。彼が手を離した途端、僕はまた背中を丸め、力なく俯《うつむ》いた。この時の僕の様子を、裁判官はのちに「萎《しな》びた野菜のようだった」と語った。よく言い表している。まさにそんな有り様だった。

裁判官は長い長い意見書をもわもわっと読み上げ、最後に僕のほうを見て、

「君を医療少年院に送致します」

と告げた。

「何か裁判官に言いたいこととか、聞きたいこととかありますか?」

裁判官が僕に尋ねた。

「ないです。もう疲れたんで、早《は》よ終わってください」

僕はボソボソとつぶやくように答えた。

そのあとに裁判官が二、三質問したが、僕はテープレコーダーに録音された音声のように短く機械的に応答し、自分でしゃべっている感じがまるでしなかった。

棟梁とシラノに引き立てられて退廷する時、チラっと両親のほうを見た。母親は数珠を持って合掌した両手を額に押し付け、拝み倒すように背中を折り曲げ、膝に胸をつけて嗚《お》咽《えつ》していた。父親は両膝に乗せた拳を固く握りしめながら、縋《すが》るような視線を僕に向けた。

シラノが僕から離れ、母親の隣にしゃがんでその肩に手を置き、何か言葉をかけていた。

三日後、僕は護送バスに乗せられ、何時間もかけて神戸少年鑑別所から東京府中の関東医療少年院へ〝上京〟した。

黒いカーテンの引かれた真っ暗な護送バスの中、僕は眼を閉じ下を向き、不快な振動のなすがまま、首振りペコちゃん人形のように頭部を力なくカックンカックン揺らしていた。出発時と到着時には護送バスの窓じゅうのカーテンの隙間からカメラのシャッターフラッシュが射し込んだ。走行中はヘリコプターの音が鳴り響いていた。

鑑別所の建物から少年院の建物の中へ入るまで、僕の周囲は常に目隠しのブルーシートやカーテンに覆われ、いっさい外の景色を見ることがなかった。そのせいか、バスに乗って長距離を移動したという実感がなく、建物から建物へワープしたような感覚だった。

護送バスはシャッターフラッシュの乱射を浴びながら少年院の敷地内に入った。バスを降り、ブルーシートのトンネルを抜けると、鑑別所の職員が腰縄と手錠を外し、僕の身柄は少年院の入り口に待機する四人の男性職員に引き渡された。

冷たく、重苦しい空気に包まれたこの堅牢な建物が、僕の狂った青春の墓標となった。

一九九七年十月二十日。

この日、当事者以外の人たちにとっての「神戸連続児童殺傷事件」は幕を降ろし、僕は、鑑定医たちが「数パーセントのわずかな可能性」と観測した「更生」へと向かって、おぼつかない足取りで歩いて行った。

第二部

ふたたび空の下（二〇〇四年三月十日〜四月上旬）

二〇〇四年三月十日。事件から七年目の二十一歳の春、僕は六年五か月に及んだ少年院生活を終え、社会に出た。

主席室で仮退院許可の告知を受けたあと、ジャージを脱いでジーパンと薄手のナイロンジャケットに着替え、サンダルを脱いでスニーカーを履き、わずかな着替えと日用品の入ったボストンバッグを持って、出口の扉へ向かった。

引率する少年院の職員に急かされるように、用意されたワゴン車に乗り込み、僕は関東医療少年院をあとにした。

目隠しのカーテンが引かれたワゴン車には三人の男性が乗っていた。

五十歳前後の「ハッカイ」。四十代半ばくらいの「サゴジョウ」。三十代半ばくらいの「ゴクウ」。三人とも東京保護観察所の観察官だった。この日から三か月間、僕は彼らと行動を共にした。

　高速道路に入り、パーキングエリアでワゴン車から降りると、別の乗用車に乗り換えてまた移動を続けた。

　昼過ぎに、僕と三人の観察官の四人で都内のビジネスホテルにチェックインした。

　部屋で一息ついていると、ドアがノックされ、三人の観察官が入ってきた。サゴジョウが茶色い手提げ紙袋の中から携帯電話を取り出し、自分たちとの連絡用にと言って、僕に渡した。次に彼は大学ノートを一冊取り出して、今日からの生活を日記に書いてもらいたいと言った。僕は了承し、大学ノートを受け取った。

　ハッカイが「食事に行こう」と言った。四人で部屋を出てエレベーターで一階に降りた。ロビーで女性の観察官二人と合流し、六人で外へ出た。

　中華料理店で食事を済ませ、しばらく街を歩いて時間を潰《つぶ》し、夕方頃、ホテルに戻った。シャワーを浴び、ベッドに腰掛けてテレビをつけると、ちょうど僕の仮退院のニュースが流れた。

　淳《じゅん》君のお父さんは顔を映さずに記者会見に臨み、現在の心境について次のように語った。

「ついにこの日が来たのかなと、そういう感じです。もともと、いつかはこの仮退院の日が来るっていうこともわかっていましたので、最近のマスコミ報道とかを見ていますと、近いのかなというふうには思っていました。

六年そこそこの期間が長いかというと、それほど長いとは私には思えません。

会いたいとかいうことは今のところこちらとしてはありません。本当に謝罪の気持ちがあれば、どのような形でもいいから、自分で本当に考えると思うんですね。そういうことから始まるのがいちばんじゃないかなと思います。

何をもって区切りにするのかは難しいと思います。昨年は七回忌で、それもひとつの区切りだろうと思いますけど、一生本当の意味での区切りは来ないのかもしれません。矯正教育を六年半受けたことで、それで罪が償えたわけではないと思います。一生、心に重い十字架を背負って生きていってほしいと思います」

彩花《あやか》さんのお母さんは担当弁護士に文書を託し、記者会見で弁護士がそれを読み上げた。

「医療少年院で確実な矯正教育がなされたものと信じたい半面、あれほど残虐な行為をした男性が、わずか六年という時間で人間の心を取り戻し、まっとうな社会生活を営めるのかということに疑問を感じているのも否定できません。

私個人としては『社会でもう一度生きてみたい』と男性が決心した以上、どんなに過酷な人生でも生き抜いてほしいと思っています。

私たち遺族に対する謝罪とは、もう二度と人を傷つけず、悪戦苦闘しながらもいばらの道を生き抜いていくことしかない、と私は考えています。

決して罪を許したわけでもありませんが、彩花ならきっと凶悪な犯行に及んだ彼が、それでもなお人間としての心を取り戻し、より善く生きようとすることを望んでいるように思えます。

現実社会は決して甘くはありません。そして、平穏な日々ばかりの人生ではないでしょう。それでも、人間を、生きることを、放棄しないでほしい。それこそが私たち遺族の痛みを共有することになるのでしょう。

なぜなら、私たちも悪戦苦闘しながら、嵐の中をもがきながら自分の道を歩いているのですから」

弁護士は最後の一行を読む時に声を詰まらせた。

僕は固唾《かたず》を呑んでテレビ画面を見つめた。

淳君のお父さん、彩花さんのお母さんの、厳しく、重い言葉が、頭の中をぐるぐるとまわった。僕はテレビのスイッチを消してベッドから立ち上がり、窓を開けた。鉄格子の区切りがなくなった空を見上げ、被害者の方たちのことを思った。

この同じ空の下のどこかに、淳君のお父さん、お母さん、お兄さん、彩花さんのお母さん、お父さん、お兄さんがいる。想像を絶する苦悩を抱えながら、自分と同じこの空の下で、今この瞬間も生きている。彼らは、今日この日を、いったいどんな気持ちで迎えたのだろうか……。

窓を閉め、枕元のボストンバッグを開き、中から淳君のお父さんと彩花さんのお母さんがそれぞれに書かれた二冊の本を取り出した。少年院のスタッフが、事件や被害者の方たちのことを毎日考えるようにと持たせてくれたのだ。

僕は淳君の写真と、彩花さんの写真が載ったページを開き、ベッド脇の机の上に立てかけ、眼を閉じ、手を合わせ、冥福を祈った。

この日から約一か月間、三人の観察官たちと一緒に都内のビジネスホテルを泊まり歩いた。移動しながら、いろいろな場所へ社会見学に連れて行ってもらった。上野の国立西洋美術館、お台場、六本木ヒルズ、東京タワー、有名な「とげぬき地蔵」のある高岩寺。

観察官たちは、社会経験が乏しく、ひとりでは電車に乗ることもできず、戸惑い、右往左往する僕に、一日でも早く社会での生活に慣れてもらおうと、できる限りのことをしてくれた。

更生保護施設（二〇〇四年四月上旬〜四月中旬）

少年院の「仮退院」のシステムについてここで説明しておこうと思う。

少年院で矯正教育を順調に終え、「この少年は更生した」と院内で認められると、少年院は更生保護委員会に仮退院許可の申請をする。申請を受けた更生保護委員会の役員は、少年が本当に更生したのかどうかを確認するため、少年院を訪ねて少年と直接面接する。

面接に「合格」し、更生したと判断された少年は「仮退院」となり、少年院を退所する。「仮退院」は、路上で自動車の運転練習を行うために必要な「仮免許」のようなもの。いわば社会生活の試運転期間だ。仮免中は必ず助手席に「運転指導者」を同乗させなくてはならない。同じように、仮退院中は「保護観察官」の指導を受け、決められた住所に居住し、定職に就き、生活状況を担当の保護観察官に報告しなくてはならない。保護観察期間中の素行が悪かったり、保護観察官の指導に従わない場合は、「仮退院」が取り消され、少年院に再収容となる。生活態度に問題がなく、社会適応も良好な場合は、保護観察期間が終われば「本退院」となり、法的な関与はなくなる。僕の保護観察期間は少年院を仮退院した二〇〇四年三月十日から同年十二月三十一日までの約九か月間だった。

少年院を仮退院した少年は、通常は親元へ帰住する。親が亡くなっていたり、親が少年を受け入れることを拒否した場合、また、地元で暴走族や暴力団との繋がりがあり、そこへ帰るとふたたび少年が罪を犯す可能性が高いと判断された場合は、少年院を出たあと「更生保護施設」に入所する。「更生保護施設」とは、帰住先が定まらない少年院や刑務所の退所者が、一定期間、住居と食事の援助を受けながら、就労・自立の準備をするための、「刑務所・少年院」と「社会」との中継地点のような施設のことだ。

僕の両親は、僕が少年院を出たら受け入れたいと申し出た。でも、僕のほうが親元へ帰ることを断った。家族五人で食卓を囲んでいる時に、テレビから自分の事件に関連したニュースが流れる場面を何度も想像した。たとえ親が大丈夫でも、事件を意識しながら家族と生活を共にするのは自分の神経が耐えられないと思った。弟たちへの心理的な負担も計りしれないものがある。何より、万一マスコミに居場所を特定された時に、家族を巻き添えにしたくなかった。

少年院側は僕の訴えを認め、僕を受け入れてくれる更生保護施設を探してくれた。ほとんどの施設に、事件内容や、マスコミに居場所が知られた時に対処しきれないなどの理由で、悉《ことごと》く受け入れを拒否された。そんな中、ある更生保護施設が「一か月ほどの短期間であれば」という条件付きで僕を受け入れてくれた。

ただ、その後はどこに住めばいいのかが問題だった。全国各地に、少年院の退所者を自分の家に住まわせ、彼らの「里親」となり、生活を援助してくれる篤志家がいる。少年院のスタッフは、そんな篤志家のひとりである「Yさん」に僕の受け入れを打診し、Yさんは了承した。

里親が見つかったのであれば最初からそこへ行けばいいのではないかという気もするが、里親は最後の砦だった。もし里親の家がマスコミに知られたら、僕にはもう行き場がなかった。最初の数か月は、有事に対応しやすい東京保護観察所の監督下で東京都内の更生保護施設で過ごし、安全であることが確認できたら里親の家に移る。それがいちばん無難だった。

かくして二〇〇〇年四月上旬、僕は更生保護施設に入所することになった。

施設に到着すると、寮長・寮母さん夫妻が出迎えてくれて、そのまま二人に軽く中を案内してもらった。

食堂で、ボンタンを履いた鳶職《とび》風の若い男性が携帯をいじっていた。彼の前のテーブルの上には四台の携帯が無造作に置かれていた。

「ちぃ〜っす」

僕が食堂に入ると、彼は挨拶した。

「こんにちは」

僕も挨拶を返した。

「今日からこの子、ここに入ることになったから。いろいろ教えてやってね」

寮母さんが僕に目配せして、自己紹介するように促した。

「〇〇です。よろしくお願いします」

僕は観察官たちと申し合わせておいた仮名を名乗った。

「俺、ノブユキっす。〝ノブ〟でいいんで。歳いくつっすか？」

彼は立って頭を下げる僕に、片手に携帯を持って椅子に座ったまま、苗字は言わずに下の名前と呼び名を答え、年齢を尋ねた。

「二十一です」

僕は特に考えもなく、正直に答えた。

「えぇっ、俺の二個上！　もうちょい下っぽく見えますね？」

それから彼は僕の顔を注視して更に尋ねた。

「いつ出てきたんすか？」

急速に僕に興味を持ち始めたように、彼が訊いた。嫌な予感がした。

「ちょっと前です」

僕は居心地が悪くなった。早く食堂から出たいと思った。観察官のハッカイが何か察知したのか、

「それ、携帯四台も五台も持ってんの？　破産するんじゃない？」

と、会話に割って入った。

「だってぇ～、使いモンなんないっすもん。こっちのはみんな解約してるんで」

そう言って彼は、テーブルの上に置かれた四台の携帯のほうに顎をしゃくった。ハッカイと言葉を交わしながらも、彼は僕のほうをチラチラと気にしていた。僕は彼から眼を逸らした。

更生保護施設に入ると仕事を探した。僕は早く働きたくてウズウズしていた。無料の求人誌を見て、日雇いバイトを斡旋《あっせん》する派遣会社に電話した。面接を受けることになり、約束の日時と場所をメモした。

面接当日、早めに施設を出て最寄りの駅から電車で派遣会社の事務所に向かった。目的の駅にはすんなり着いたものの、そこから道に迷ってしまい、面接が始まる五分前にようやく派遣会社に電話を入れた。「道に迷った」と答えるのが恥ずかしくて、「これから家を出ます」と言ってしまった。

「これからって……。もう、いいっすよ。時間にルーズな人に、決められた時間に決められた場所に行って仕事してもらうことなんてできないから。何時に家を出るかっていうとこから、面接始まってるんで。悪いけど、他あたってください」

そう言って電話を切られてしまった。当然の結果だった。時間を守るという、社会人としての最低限の意識を僕はまだ持てていなかった。駅まで戻る道もわからなくなり、ハッカイに電話して迎えに来てもらった。帰りの電車の中で僕はすっかり意気消沈し、自分が惨《みじ》めで仕方なかった。ハッカイは「気にすることない」と言って励ましてくれた。

次の日、別の派遣会社に電話して面接の約束をとりつけた。心配したハッカイが派遣会社の事務所の近くまで同伴した。無事面接を終え施設に戻ると、その日の夕方、早速仕事の電話が入った。明日の朝八時に事務所に行って、そこで他の派遣スタッフとペアを組み、オフィス移転の現場へ向かう、ということだった。

翌朝、電車で派遣会社の事務所に向かった。前日に面接をした派遣会社の男性スタッフが、

「おっ、早いねぇ。ちょっとそこのソファーで待っててくれる？　あと二人来るからさ」

と言って、事務所の入口近くに置かれたソファーに僕を促した。女性スタッフがお茶を出してくれた。

十分ぐらいすると、若い男性が事務所にやってきた。純朴そうな雰囲気で、肩まで伸ばしたサラサラの髪に、ニット帽を被っていた。十代後半に見えた。

派遣会社の男性スタッフが僕を呼んだ。

「もうひとり来る予定だったんだけど、電話つながんないし、時間ないからさ、今日は二人で行ってくれる？」

そう言って彼は、僕とニット帽の彼に、現場の責任者に渡すタイムカードと現場への行き方を印刷した紙を渡した。ニット帽の彼は「ケンジ君」と呼ばれていた。

自己紹介も何もないまま、ケンジ君と二人で事務所を出た。

電車に乗って目的地のオフィスビルに向かった。

現場は五階建ての雑居ビルで、ビルの前には運送会社のトラックが停まっていた。エレベーターで三階に上がり、エレベーターを降りて左手突き当たりの扉の前に立つ現場の責任者の男性にタイムカードを渡し、作業服を受け取ると、着替えて仕事に取りかかった。

オフィスの広さは二十平米ほどで、部屋の真ん中には段ボール箱が堆《うずたか》く積み上げられ、その横にはビニール製の気泡シートで包装された、ブラウン管テレビのような形をしたP

Cモニターが十数台、大小のネットワーク機器などが所狭しと置かれていた。壁には折り畳まれて紐で縛られた間仕切りが何枚も立てかけられ、高さの調節できるオフィスチェアーが部屋の隅の一箇所に集められていた。ここにあるものをすべて持ち出して、エレベーターまで持っていき、そこに待機する運送会社のスタッフに手渡し、彼らはエレベーターで荷物を一階に降ろして、ビルの前に停めてあったトラックに積み込むのだ。オフィスの出入り口からエレベーターまでの距離はほんの五メートルほどだったが、運ぶ荷物の量が半端ではなかった。荷物を持って、オフィスからエレベーターまでを延々と行ったり来たりした。

人生初の労働だった。キツかった。とにかくキツかった。肉体的にも、精神的にも。この頃の僕はいわゆる「指示待ち人間」というやつで、他人から指示を与えられないと、自分が何をしていいのかわからなかった。少年院では職員の指示に従ってすべての日課をこなした。「指示されないこと」は「してはいけないこと」だった。その習慣がまだ抜け切らなかったのだと思う。自分で考えて、判断して、主体的に動くことができなかった。早い話が「使えないやつ」だった。

手持ち無沙汰になって立ち尽くしていると、

「オイ！　ボケっと突っ立ってんなよ！　早く運べ！」

と、怒声が飛んでくる。一方、ケンジ君は手慣れていて、実にテキパキと働いた。

ブラウン管テレビのような形状の箱型のPCモニターを運ぶ時、あまりの重さに耐えきれず、一旦床に降ろしてしまった。

「オォイ！　何やってんだよ！　んなとこ置いてんじゃねぇよ!!」

間髪入れずにまた怒声が飛ぶ。ケンジ君が僕のところへ駆けつけた。

「オレ運ぶんで、あっちの椅子お願いします」

そう言って彼は代わりに運んでくれた。

昼休みになり、ケンジ君と近くのコンビニへ弁当を買いに行った。

「腰とか平気ですか？」

ケンジ君が尋ねた。僕はもうヘトヘトで、声を出す気力もなく、小さく頷《うなず》くのがやっとだった。

「箱型の重いモン持つ時は、対角線の角《かど》持ったら楽ですよ」

と、彼は重い物を持つ時のコツを教えてくれた。パッと見、不愛想な感じだが、実は思い遣りのある優しい人なのかもしれないと思った。

夕方仕事を終えると、現場の責任者が僕とケンジ君に就業時間を記入して捺印したタイムカードを返した。ケンジ君と二人でまた電車に乗って派遣会社の事務所に戻り、朝僕たちを見送った男性スタッフにタイムカードを渡した。しばらく待たされてから、封筒に入った現金を受け取った。八千円ちょっと。初めて自分で稼いだお金だった。

三日ほど空いて、次の仕事の電話が入った。「明日、汚れてもいい格好で来てくれ」と言われた。翌日派遣会社の事務所に行くと、ペアを組むことになる二人がいた。ひとりは二十代前半くらいで、髪型はソフトモヒカン、チェックのシャツにダメージ加工のジーパンを穿《は》いていた。もうひとりは三十代半ばくらいで、オカッパ頭で顔色が悪く、ジャージ姿だった。

「今日は、ビル清掃ね」

そう言って派遣会社の男性スタッフは僕たち三人に行き先を印刷した紙とタイムカードを渡した。

横幅の広い四階建ての大きな白いビルが現場だった。ビルの玄関先に集まって煙草を吸っていた五人の清掃会社スタッフのところへ行き、責任者の男性にタイムカードを渡した。

ビルの中に入ると、ワンフロアに正方形の防塵ルームが二部屋並んでいた。防塵ルームの壁一面に嵌《は》め込まれた大きなガラス窓から中を覗《のぞ》くと、医薬品関連の会社なのか、電気を落とした薄暗い部屋に、厨房などによくあるような業務用の大きなステンレス製作業台がずらりと並んでいるのが見え、作業台の上には茶色い瓶に入った薬品やガラスビーカーや医療関連機材らしき物が整然と置かれていた。会社は休みのようで、僕たち派遣会社の三人と清掃会社のスタッフ五人の他には誰もいなかった。

仕事内容は防塵ルームを囲む外周廊下と、防塵ルームと防塵ルームの間の中廊下の清掃だった。外周廊下は幅二メートル、廊下一周の距離は百五十メートルほど。中廊下は幅二メートル、距離は二十五メートルほどだった。

現場の責任者が作業手順を僕たちに説明した。

「まず、廊下を箒《ほうき》と塵取《ちりと》りで掃除して、こびりついた汚れはこのヘラでこすり落とすのね。それからモップでワックスを塗って、ワックスが乾いたら、ポリッシャーで磨いて仕上げる。ポリッシャーってのはアレね。使う時にまた説明するから」

そう言って彼は、壁際に並べられたポリッシャーを指差した。

「ポリッシャー」とは、直径三十センチほどの円形ブラシをモーターで回転させて床を磨く清掃用機械のことだ。バケツを逆さまにしたような形状の本体部に伸縮ハンドルが付いていて、ハンドルのT字の持ち手を握り、ハンドルの高さや力の入れ加減で本体部の進行方向を操作する。ポリッシャーの扱いにはちょっとしたコツが必要で、あまり力任せに本体部を動かそうとすると、思いもよらぬ方向に動き出して壁にぶつけてしまう。

偶然だが、昔少年院の廊下掃除で、この時の仕事で使ったものとまったく同じタイプのポリッシャーを使ったことがあった。少年院では週二回の入浴日に「清掃」の時間が設けられていた。幅二・五メートル、奥行き百メートルほどの少年院の廊下に、クレンザーを混ぜた水を撒《ま》き、ポリッシャーで磨き上げると、タイルにこびりついた汚れが気持ちいいほどに取れた。

僕たち派遣会社の三人はビルの一階部分の廊下清掃を任された。午前中のうちにモップで廊下にワックスを塗るところまで終わらせ、休憩時間になった。一時間ほどの休憩時間が終わるころには、ワックスが乾いていた。

清掃会社のスタッフにポリッシャーの使い方を軽くレクチャーしてもらい、ポリッシャー作業が始まった。僕と二十代のソフモヒは廊下の外周を、オカッパの三十代はフロアの真ん中に通った中廊下を任された。ソフモヒと僕は一周百五十メートルほどの外周廊下を、同じスタート地点からそれぞれ反対方向に進行しながら「挟み撃ち」するかたちでポリッシャーをかけていくことになった。ポリッシャーのスイッチを入れ、モーターでブラシを回転させながらワックスの乾いた床を磨いていく。三メートルほど進んだところで、後方から「ゴンッ、ガンッ」という音が鳴り響いた。振り返ると、ソフモヒがポリッシャーを上手く使いこなせず、壁にポリッシャーをぶつけまくっていた。あまりにも見ていられないので、僕は一旦ポリッシャーのスイッチを切ってソフモヒのほうに行った。

「ヘソの位置でハンドル固定して、身体と平行に動かすんです」

僕はソフモヒに、説明しながら実演してみせた。

「へぇえ〜、すごいですねぇ〜。前にやったことあったんですか？」

僕はその質問を無視して彼にポリッシャーを返し、自分の持ち場に戻った。しばらくすると、またソフモヒが壁にポリッシャーをぶつける音が響いた。あまり真剣味が感じられず、どことなくふざけているような印象を持った。僕は気にせず自分の仕事に集中した。途中、中廊下のほうを見ると、オカッパの三十代は難なくポリッシャーを使いこなしていた。

外周の廊下を一周まわってスタート地点付近にくると、ソフモヒが使っていたポリッシャーが、スイッチを切った状態で放置されていた。トイレにでも行ったのだろうか。仕事を終え、現場の責任者からタイムカードを受け取った。ソフモヒの姿が見えないのでどこに行ったのかと責任者に尋ねると、彼は仕事の途中で「これムリっす」と言って帰ったらしい。

オカッパの三十代と二人で派遣会社の事務所に戻った。派遣会社の男性スタッフにタイムカードを渡し、給料をもらった。時間が短かったせいか、この日は六千円ちょっとだった。

施設に戻って風呂に入り、寮母さんが作った食事を食べた。食堂には僕の他にもうひとり、痩せて小柄な年配の男性が食事をしていた。

寮母さんが僕の向かい側に座って話しかけてきた。

「あのさ、絵手紙とかって興味ない？　来週、絵手紙の講師の先生がここに来て、絵手紙教室やるんだけどさ、みんなと一緒に出ようよ」

僕は更生保護施設で他の入居者と接点を持たなかった。寮母さんは僕がちょっとでも周囲に溶け込めるようにと、気を遣ってくれたのかもしれない。気は進まなかったが、その気持ちを無碍《むげ》にするのも悪い気がした。

「はい。出てみます」

僕が答えると、寮母さんは、

「ほんとぉ〜？　よかったぁ〜」

と笑った。

寮母さんは五十歳前後に見えた。少し肥えていたが、目鼻立ちのくっきりとした顔だった。僕への接し方も分け隔てがなく、自然で、僕は好感を持っていた。

だけど結局、この「絵手紙教室」には出られずじまいになった。

その日から二日後、仕事もなく、近所の公園でジョギングを終え更生保護施設に戻り、シャワーを浴びて自室で横になっていると、観察官のゴクウ、サゴジョウ、ハッカイが、血相を変えて僕の部屋を訪れ、こう告げた。

「すぐ荷物まとめて。場所移動するから」

藪《やぶ》から棒だった。やっと更生保護施設に落ち着いたのに、なぜ急にそうなるのかと面喰らってしまった。事情を聴くと、更生保護施設に入所した初日に、食堂で僕と言葉を交わした鳶職風の若い男性が、僕が「少年A」であることに勘付いて他の入居者たちに触れまわっているとのことだった。

——アイツか——

僕にあれこれ質問した彼のニヤケ顔が思い浮かび、腸《はらわた》が煮えくり返った。でもこればかりは怒っても仕方ない。僕はしぶしぶ荷物をまとめた。

三人の観察官たちに付き添われ、更生保護施設を出て最寄りの駅から霞が関駅に向かい、霞が関駅の近くのビジネスホテルに一泊した。

翌日、観察所が急遽用意した都内のウィークリーマンションに移った。更生保護施設から移動先のウィークリーマンションまでは六キロメートルほどで、たいして離れてなかった。同じマンションに二部屋契約し、一部屋は僕にあてがわれ、もう一部屋には観察官たちが交替で泊まり、不測の事態に備えることになった。

僕はジョギングの許可をもらい、毎朝一時間ほどマンションの周りを走った。それ以外はほとんど部屋に籠《こ》もりっきりだった。

ウィークリーマンションに滞在して三日目の夕方、ハッカイが部屋に来てこう言った。

「明日からのことなんだけどね、もと居た更生保護施設に戻ることになった。いろいろと他の施設にも掛け合ってみたんだけど、やっぱり、すべて事情を知った上で君を受け入れてくれるのはあそこしかないんだ。でもさすがに、今の状況で他の入居者たちと鉢合わせさせるのは危険すぎるから、今度は、寮母さん夫妻が使ってる離れで生活してもらうことになる。僕らも毎日顔は見に行くけど、基本的には寮母さん夫妻が君の面倒みるから。あと、仕事のことね。申し訳ないけど、こちらで用意した仕事に就いてもらう。近くに別の更生保護施設があってさ、そこの施設長さんが施設運営とは別に事業もやってて、その人に君の話をしたら、最終居住先に移るまでの間、君の就労の世話をしてくれることになった。他の入居者と顔を合わせなくて済むように、朝早くに寮母さん夫妻の離れから出て電車に乗って、先方の施設に行く。そこから、仕事に行って、仕事が終わったらまたその施設に帰ってきて、電車でこっちに戻ってくる。大変だろうけど、今度はそういうかたちをとることになったから」

僕は了解し、翌朝六時にウィークリーマンションを出て、観察官三人に付き添われ、仕事の面倒を見てくれる先方の更生保護施設へ行き、施設長に挨拶をした。事業をしているというだけあって、僕が入居した施設と比べ、建物もひとまわり大きかった。施設の敷地内には施設長の住居があり、彼はそこで奥さん、息子夫婦と一緒に暮らしていた。施設長への挨拶が済むと、三日前に逃げるように出てきた更生保護施設へと戻った。

ジンベイさんとイモジリさん（二〇〇四年四月中旬～二〇〇四年五月中旬）

朝早く、まだ他の入居者たちが寝ている暗いうちに、こそこそと離れを出る。電車に乗り、先方の施設の最寄り駅に着くと、改札を抜け、駅前のファーストフード店で朝食を摂《と》る。三十分ほど時間を潰《つぶ》し、店を出て歩きながら、施設長にこれから向かいますと電話をかける。十五分ほどで施設に着く。インターフォンを鳴らし、施設長に挨拶を済ませると、箒《ほうき》と塵取《ちりと》りを借りて、仕事が始まる時間まで施設の周りを掃き掃除する。犬の散歩をしているおばさんが通りかかり、

「ごくろうさまぁ～」

と声をかけてきた。僕は声を出さずに小さく会釈をして掃除を続ける。二十分ほど掃除を続けていると、玄関から施設長が出てきて僕にこう言った。

「おぉ～い、もぉいいって。仕事の前からそんな働くことない。こっちきて、いっしょに茶でも飲もぉや」

こういう時は「はい、わかりました」と返答し、気を利かせ声をかけてくれた施設長の言うとおりにするのが〝正解〟だということを、僕は知らなかった。

「いいです、いま喉渇いてません」

バカなのかと思われてしまいそうだが、僕はこのとおりに言った。施設長はちょっと困ったように頭をぽりぽり掻いて、でも不快そうにするわけでもなく、踵《きびす》を返してゆったりとした足取りで家の中に入っていった。僕はかまわずに掃除を続けた。

僕は自分の家や自分の部屋、自分の領域《テリトリー》に他人が入ってくることが苦手だ。同じように、

他人の領域《テリトリー》に自分が足を踏み入れることにも強い抵抗を感じる。相手が自分の過去を知っている場合は余計にそうだ。たとえ向こうが気にしない場合でも、僕が気にする。落ち着かなくなる。うまく言えないのだが、自分が属する世界を見失いそうになるのが嫌なのだ。例えば映画の撮影で、冷酷な殺し屋の役を演じる俳優が、休憩時間になっても他の共演者たちと一切会話をせず、役作りに徹するように、僕は僕のステージで僕を演じるために、いつも気を張り詰めさせておきたい。そのためには、自分の領域《テリトリー》から出てはいけないし、他人の領域《テリトリー》に入ってもいけない。僕は狭い世界《ステージ》で生きている。とても狭い世界《ステージ》で生きている。僕が僕でいられるのは、とてもとても狭い範囲なんだ。その範囲から一歩でも出ると自分が立っている場所がわからなくなる。ちゃんと立てているのかどうかもわからなくなる。それが気持ち悪い。気持ち悪くて、いてもたってもいられなくなる。

　掃除をしていると道の向こうから、一・五トンくらいの、平ボディの小型トラックが近付いてきた。トラックは施設の敷地内に入ると、施設長の家の前で停まった。トラックの中から二人の男性が降りてきて、施設長の家のインターフォンを押した。出てきた施設長は二人の男性となにやら話していた。しばらくすると施設長が、

「おぉ〜い、Aく〜ん」

　と、片手を振り上げ、オイデオイデをして僕を呼んだ。僕は箒と塵取りを持ったまま施設長のところへ行った。施設長は二人の男性に僕を紹介した。彼らが僕の仕事のパート

ナーだった。

玄関の右脇に立つ、四十代半ばくらいの、パンチパーマで太い首に金のネックレスをかけた、毛虫眉毛の男性が、

「いよぉ、あんちゃん！　今日からよろしくなぁ〜」

と、パイロットの敬礼のようなポーズを取って陽気に挨拶した。やや厳《いか》つい外見とは裏腹に、高くて可愛らしい声だった。彼は「ジンベイさん」と呼んでおく。

続いて、玄関の左脇に立つ、五十代前半くらいの、顔の輪郭がやや逆三角形気味の眼鏡をかけた男性が、

「よろしくお願いします」

と、蚊の鳴くような小さな声で律儀にお辞儀をしながら挨拶した。どことなく人付き合いが苦手そうな雰囲気の人だった。彼は「イモジリさん」と呼んでおく。

「んじゃ、行くべ。乗った乗った」

挨拶もそこそこに、ジンベイさんがトラックの運転席にまわり、イモジリさんが助手席のドアを開け、

「どうぞ」

と、僕を促した。助手席は幅が広く、三人分のスペースがあり、シートベルトも三つ付いていた。僕はジンベイさんとイモジリさんに挟まれて真ん中に座り、施設長のほうを見

た。彼の奥さんも玄関から出てきて、小さく手を振りながら見送ってくれた。僕は施設長と奥さんのほうへ軽く頭を下げ、トラックが発車した。

仕事内容は廃品回収だった。公園やマンションのゴミ集積所をまわり、トラックの荷台に積み込む。最後はクリーンセンターに行ってトラックからゴミを降ろす。給料は日給月給で七千円。僕には充分すぎる額だった。

運転しながら、ジンベイさんが僕に訊いた。

「あんちゃん、いくつよ?」

「二十一です」

「ほえぇ〜! ほんとかぁ? なんか高校生みてぇだなぁ〜」

僕は俯《うつむ》いた。

年齢を訊かれて答えると、だいたいいつもこういうリアクションが返ってくる。更生保護施設で僕が「少年A」だと触れまわったあの少年も、ジンベイさんと同じようなリアクションだった。そうして僕は毎回、相手のそういった反応に少なからず傷付く。僕は決して童顔というわけでもないし、極端に身長が低いわけでもない。なのにどういうわけか歳相応にみられない。たいてい、実年齢よりもかなり下に見られる。相手が気を遣って「若く見えますね」と言っても、言葉どおりに受け取れない。その「若いですね」という響きの中に「異様に稚《おさな》いですね」というニュアンスが含まれていることを敏感に嗅ぎ取ってしまうからだ。僕にはどこか〝不健康な稚さ〟がある。僕自身それは自覚している。多分、僕は発達が他の人たちよりアンバランスなのだ。「外見はいちばん外側の中身」だと言ったのは誰だったろう。言い得て妙だ。人間の内面は驚くほど外見に反映される。いくら服装や髪型を変えても誤魔化せないものがある。僕が醸し出すその一種異様な〝稚い〟雰囲気は、未だこの身体のどこかに眠っているかもしれない、性的なものも含めた自身の〝病理〟と無関係ではないように思えてしまって、「若いですね」と言われるたび、その潜在的な病理を見透かされ、指摘されているようで、ビクッと身構えてしまう。

信号待ちになった時、眼の前の横断歩道を、ゴスロリファッションで女装した中年の男性が通った。僕もジンベイさんもイモジリさんも驚いてしまって、その中年男性の姿を三人揃って無言で首を回しながらジ〜っと眼で追った。信号が青に換わり、トラックを発車させたジンベイさんが甲高《かんだか》い声を出して言った。

「お、おい！　見たか今の！　アレ、おっさんだったよなぁ？」

イモジリさんがぼそぼそと答えた。

「いや…女でしょう……。ああいうおばさんも、いますよ」

「嘘つけ！　髭んとこ青くなってたじゃねぇか！　なぁ、あんちゃん、見たろ？」

ジンベイさんが僕に同意を求めた。僕は中庸の精神で、

「〝真ん中〟じゃないですか？」

と答えた。

「いんや！　俺は認めねぇ、だってぜんぜん〝真ん中〟になってなかったべ？」

ジンベイさんは主張を曲げなかった。

しばらくの沈黙のあと、誰からともなくクスクスと笑い出し、やがて三人の笑い声が車内に充満した。少年院を出てから初めて笑った瞬間だった。注視するわけでも軽視するわけでもなく、ジンベイさんとイモジリさんに、自然に、普通に〝仲間〟として受け容れられていることが、嬉しかった。観察官たちと一緒にいる時には味わえない心地良さだった。

集積所に着くと、三人ともトラックを降りて、荷台からゴム手袋とゴミバサミを取り、作業を始めた。

ジンベイさんが言った。

「中身の見えない袋はよぉ、このハサミで、まず突っつけ。袋破いちまっても構わねぇから。危ないもんとか、ばっちい液体とか入ってたらまずいからよ」

「なにか変な物が出てきたことあるんですか？」

「どこのバカかわかんねぇけどよぉ、黒いゴミ袋いっぱいにクソとかションベンとか溜めてやがって、急いでたから時間内にまわるためにそのまんまトラックに載っけちゃったのよ、そしたらトラックの荷台で破けちまって、もうクソとションベンの海よ。クセぇのなんのって……。いくら洗っても臭い落ちなくてよ。イタズラかなんかわかんねぇけど、もうブッ殺してやりたかった」

ジンベイさんは左手で自分の鼻をつまみ、顔の前で右手に持ったゴミバサミをぶんぶん振る大袈裟なジェスチャーを交えながら説明し終えると、

「なぁ、イモさん覚えてんだろ、あれ、ションベン溜めてたやつよぉ、ムカついたよなぁ？」

と、イモジリさんに同意を求めた。どうやらこの人は話の最後に誰かに同意を求める癖があるようだ。イモジリさんはもう作業を始めていて、ジンベイさんの呼びかけに気付かなかった。ジンベイさんは諦めず、黙々と仕事をこなすイモジリさんに歩み寄り、イモジリさんの骨ばった肩をちょんちょんとつついてもう一度声をかけた。

「なぁなぁ、イモさんてば。覚えてんだろぉ？　あの〝ションベンの海〟よ？」

イモジリさんは作業の手を止めて振り返り、

「あぁ…あれね……」

と、ジンベイさんではなく僕のほうを向き、顔をくしゃくしゃにして笑いながら、右手の指を三本立ててこう言った。

「あのあと、僕、宝くじ当たったんですよ。三千円……」

ジンベイさんが声を荒らげて言った。

「〝ウン〟がついたってかぁ？　ダジャレにもなんねぇよそんなもん！　三億くらい当た

らなきゃチャラにできねぇっつの！」

イモジリさんは〝やれやれ〞というように苦笑しながら小さく首を振って、また作業を始めた。ジンベイさんも独りブツブツ言いながら不機嫌そうにゴミバサミでビニール袋をブスブスと突っつき始めた。僕も二人の動作を見様見真似で作業を始めた。

荷台にゴミを積み終わると、また次の集積所に移動する。ゴミを積んで、また次に行く。その繰り返しだ。

ジンベイさんは通りがかりに見えた人や建物や過去のムカつき体験をネタに話題を振り、自分で出した話題にいきなり感情的になって、「なっ、そぉ思うだろぉ？」と、僕やイモジリさんに同意を求めた。この人、ちょっと情緒不安定なのかもしれないな、と思った。あまり刺激しないように僕は当たり障《さわ》りなく応じ、イモジリさんはやんわり反論する。でもそれで喧嘩になったりすることはなく、なんというか、息の合った漫才コンビのようで、言っていることはたいして面白くないのに、この二人の人柄のギャップが、見ていて楽しかった。僕はこの二人のことが好きになった。

昼になると三人で定食屋に入る。いつも決まった店だった。僕は店に入ると注文する前にまずトイレに行った。席に戻るとジンベイさんから、

「あんちゃん、注文してから、トイレ行きなって」

と言われた。

「なんでですか？」

僕は尋ねた。

「いや、注文してからのほうが待ち時間短縮できるしよ、三人同時にまとめて注文したほうが、店の人もわかりやすいし、俺たちも一緒に食べられるだろ？」

僕はそういった一般常識がまったく理解できなかった。待ち時間の短縮と言ってもたかだか一、二分くらいのものだ。店の人が同じ席に二回注文を取りにくることがそんなにいけないことだろうか。三人で同時に食べる必要がどこにあるのだろう。理解はできなかったが、僕は彼の中ではそういう〝ルール〟になっているのだろうと思うことにして、

「はい。わかりました」

と、素直に応じた。僕の極端なところだ。好意を持った相手の発言は、内容にやや不満があってもとりあえず受け容れる。僕は好意を持つ相手にはハチ公並みに従順になる。考えてみれば、僕ほどマインド・コントロールにかかりやすい人間もいないのではないだろうか。反対に嫌いな相手が言うことは、それがたとえどんなに正論でも全否定する。結局のところ、人間は感情の動物なのだ。

昼食が済むと三人でトラックに乗り、近くの公園に行った。休憩の時もいつも同じ公園だった。公園の脇にトラックを停めると、ジンベイさんは座席を全開に倒して昼寝をし、イモジリさんはトラックを降りて、荷台に積まれたゴミの山で「宝探し」を始める。ゴミ

の中からまだ使えそうな物を探すのが趣味だという。僕は公園の中をぶらぶら散歩したり、ブランコを漕いだりして時間を潰した。

休憩時間が終わる頃にトラックに戻ろうとすると、いきなり、

——キュイン　キュイン　キュイン——

と、けたたましい音が鳴り響いた。トラックのほうへ近付くと、イモジリさんがゴミの山の中から見つけた電子工作用のドーム型ブザーで遊んでいた。

運転席のドアが開いて、ジンベイさんも降りてきた。

「おいお～い、なんなんだよぉ～、起きちまったじゃねぇかよぉ～」

イモジリさんは悪びれるふうでもなく、子供っぽい無邪気な笑顔で、

「休憩終わりです。目覚まし、目覚まし」

と言った。

「イモさん、それまた持って帰んの？　なんに使うんだよ、んなもんよぉ～」

「痴漢対策。防犯ブザーです」

「はぁ？　痴漢対策だぁ？　こんなじい様、誰が襲うんだよ。痴漢だって暇じゃねぇ～つぅ～の」

「いやぁ～、わかりませんよぉ～。女の痴漢だって出るかも知れませんし」

「女の痴漢でも、相手は選ぶだろぉよ！」

イモジリさんがまた笑う。どうしてだろう、この二人の掛け合いを見ると、妙に心が和んだ。

三人でトラックに乗り込み、午後の仕事が始まる。大きなマンション前のゴミ集積所で、ゴミを積む時に小さなビニール袋が風で飛ばされて、僕はゴミバサミ片手に必死で追いかけた。風がやまずに十五メートルほど走ってやっとゴミを摑んだ。二人を待たせてはいけないと思い、そこからまたトラックのほうへ向かって走った。決められた時間内にクリーンセンターに持っていかないと、ゴミを処分してもらえなくなる。

「おぉ！　捕まえたか！　サンキューな！」

ジンベイさんが笑って言った。僕はハァハァと息を切らせながら、

「すいません」

と謝った。ジンベイさんはまた笑って、トラックに乗り込んだ。僕も助手席に乗った。

イモジリさんが感心した顔で、

「いやぁ〜、脚、速いんですねぇ」

と言った。僕はなんだか急に恥ずかしくなって顔を伏せた。

トラックを走らせながら、ジンベイさんが少し照れくさそうに頭を掻きながらこんなことを言った。

「なぁ、あんちゃん。俺らの仕事って、まぁ、汚れ仕事っていうか、あんまり若い連中が

好き好んでやりたがるかっこいい仕事じゃねぇけどよ、俺は俺でプライド持ってやってるし、好きじゃあないけど、誰かがやらなきゃいけねぇんだから、まぁ、そーゆー意味じゃあ、そこそこ世の中の役には立ってると思うしな。だからよ、もし嫌になっても、一年ぐらいは続けてくれよな？」

そうしたいのは山々だった。

――ずっとここで働かせてもらえないだろうか？――

僕もそんなことをぼんやり考えていた。身元引受人のいる最終居住先に行く時期については、具体的には何も聞かされていなかった。でもそれはそう遠い先ではない気がした。ここを辞めなくてはならないのかと思うと、就労初日にして早くも寂しさがこみ上げた。

「できれば、そうしたいです」

と、僕は返事した。ジンベイさんは特に深読みせずに、おぉ、そーかそーかと、喜んでくれた。今度呑みに行こうと誘われたが、お酒が呑めないと言って断った。辞めなくてはならないことがわかっていながら、必要以上に仲良くなるのは自分勝手すぎる気がした。

一日分のゴミをトラックに積み終わり、クリーンセンターに向かった。処理場の傍にトラックを乗り付けると、ジンベイさんが、

「ちょっと、トラックで待っててな」

と言って、僕とイモジリさんをトラックに残したまま、建物の中に入っていった。しば

らくすると建物の中から、ジンベイさんと五、六人の作業員が出てきて、トラックの荷台からゴミを運び出した。

「手伝わなくていいんですか？」

と、イモジリさんに訊いた。イモジリさんは、

「いや……いいんですよ。分別の仕方とかいろいろ決まってて、僕らが行っても邪魔になるだけから……」

と、ボソボソと言った。

無口なイモジリさんと狭い車内にいるのもなんとなく気まずかった。それを察してか、イモジリさんのほうから僕に話しかけてきてくれた。こういうタイプの人はとにかく人の心の動きに敏感なのだ。

「なにか、ご趣味とかは？」

「趣味……ですか。今は、たまにジョギングとか……。それくらいです」

「ほぉ〜う、ジョギングですかぁ〜……」

……沈黙。

お互い口下手なので、会話を続けるのは至難の業だ。僕からも一歩を踏み出した。

「イモジリさんは、何か趣味とかってありますか？〝宝探し〟以外に」

話のネタがないのに自分から〝宝探し〟とか言ってわざわざ答えをひとつ潰さなくても

いいものなのに……。と、言ってしまった後で我ながら思った。

「うぅ〜ん、そぉねぇ……。休みの日とかは、だいたい〝健康ランド〟とか行ってますかねぇ〜」

「〝健康ランド〟？」

初めて聴くワードだった。

「えっ？〝健康ランド〟知りません？」

イモジリさんが少し驚いたように身体を僕のほうに捻《ねじ》って眼を見開いた。

「〝病院〟みたいな感じですか？」

と、僕は無自覚にかなり恥ずかしいことを言った。

「いや、ちょっと違いますね。なんていうんだろぅ、そのぉ、ゲームセンターと銭湯が合体したみたいな、遊ぶこともできるし、お風呂とか、岩盤浴とかもあります」

「岩盤浴？」

「あぁ、岩盤浴ってのはね、こう、なんていったらいいのかなぁ〜、大きな部屋に、こう、シートがあって、そこにこう、寝っ転がってね、お湯じゃなくて、蒸気であったまるお風呂っていうか」

「サウナみたいな感じですか？」

「そう、それ、サウナ。ちょっと、高級なサウナです」

僕は知ったかぶりをして話を流すことができない。わからない言葉が出てくるとすぐに質問する。そして恐ろしくものを知らない。イモジリさんは僕の質問にひとつひとつ、丁寧に、一生懸命に考えて答えてくれた。僕はそんなイモジリさんの姿に好感を持った。

イモジリさんと打ち解けた感じで話していると、ジンベイさんがトラックに戻ってきた。

「くっそぅ～、なんなんだよ、あいつよぉ～」

ジンベイさんはなぜか早速怒っていた。そして僕とイモジリさんに怒りの丈をぶちまけた。

「いやぁ、さっきさぁ、ゴミ運んでる時によぉ、あっちの奴らが持ってた袋が破けちまったのよ。そしたらそいつが、なんでこんなに穴だらけなんだって、俺にイチャモンつけてきたから、俺は〝ションベンの海〟のことを言ってやったのよ。あん時はトラックで破けちまったけど、もし穴開けないで中身がわからなくて、ここで破けちまったら、こんなもんじゃすまねぇぞ、って。したらそいつが、袋を開けて確認したらいいじゃないかって抜かしやがったから、俺アッタマきて、一日何か所まわってると思ってんだ！　んな事して時間内に集められるか！　って怒鳴ったの。なぁ、イモさん、んなことしてたら間に合わねえよなぁ？」

イモジリさんは自分の顎を撫《な》でながら、

「う～ん……。手で触って確認したらどうですか？」

と言った。

「イモさんあいつらの肩持つのかよ！　だいたい手で触っただけでわかるかっつぅ〜の。ヤバいのは小便だけじゃねぇぞ、もし爆弾だったらどぉすんだよ！」

ジンベイさんは興奮すると話が飛躍する。爆弾だったら余計に突っついてはマズい気もするが、そんなツッコミが許される雰囲気ではなかった。

「なぁ、あんちゃん、俺の言ってることわかるだろぉ？」

と、今度は僕に同意を求めた。僕はまた中庸の精神で、

「袋の、できるだけ上の方に、一か所だけ穴を開けて、そこから覗《のぞ》いて中身を確認したらどうですか？」

と、恐る恐る言った。これも〃不正解〃だったらしく、

「一か所じゃわかんねぇ〜って！　だいたいあぁぁいう汚ねぇもんは、袋の底のほうに入ってんだよ！　俺の経験から言ってよぉ！」

と一喝《いっかつ》された。僕は押し黙る。

ジンベイさんは感情の起伏が激しいが、一度怒りを吐き出すとすぐに機嫌が直り、ケロッとした顔で次の話題を振る。嫌なことがあると吐き出して、誰かに〃同意〃を求める。〃意見〃や〃アドバイス〃が返ってくると噛み付く。そういったプロセスを経て彼の精神は濾過される。実はこの最後の〃噛み付き〃がもっとも重要なポイントなのかもしれない。

最初に吐き出す時には感情のバロメーターがＭＡＸになっている。安易に「はい、そのとおりです」と〞同意〟してしまうと「ホントにわかってんのかよ！」と喰ってかかってきそうな勢いだ。全否定するとキレてしまいそうだから、ちょうどいい具合に〞噛み付ける余地〟を残して返答する。そうやって一定の間隔をあけながら怒りを吐き出すことで、徐々に落ち着きを取り戻す。

もしかするとイモジリさんはそういったことをすべてわかっていたのではないか、という気がする。人付き合いが苦手な人は、人の心を読むのが上手い。人の心が読めてしまうから、人と付き合うのが嫌になるのかもしれない。

クリーンセンターの敷地内の一角にある洗車場へ移動し、三人でトラックの荷台を洗った。ホースで水をかけ、デッキブラシでこすり、最後に雑巾で拭くと、ニオイも落ちて、何だかすっきりしていい気分だった。

「いんやぁ〜、今日も働いたなぁ！　おし、帰《けえ》るべ!!」

トラックをピカピカに洗い終えると、ジンベイさんはもうすっかり機嫌が直っていた。

トラックに乗り込み、朝迎えにきてもらった更生保護施設へ向かった。

「そぉいや、あんちゃん、病気なんだって？」

唐突にジンベイさんが言い出した。僕はギクリと固まった。

——ウソだろう？　まさか〞事情〟を聞いたのか？——

「朝迎えにいった時よ、おやっさん（施設長）が、あんちゃん病気で長いこと入院してたから、あんまり無理させるなって言ってたからな。なんともないか？」

そういう〝設定〟だったのか……。内心、ホッと胸を撫で下ろした。〝病気で長いあいだ入院していた〟というのはまるっきりの嘘ではないが、こういった話が出ると途端に気が滅入った。

「大丈夫です。もう治ってます」

「無理すんなよな。気持ち悪くなったら言えよ？　休んでていいからよぉ」

「はい。ありがとうございます」

イモジリさんが独り言を呟《つぶや》くように、

「うちもねぇ、今、おふくろ入院してんですよ。もう、長くないだろなぁ〜」

と言った。

「おいおい、イモさん、やめなって、そぉゆぅ湿っぽい話は。あんちゃんはこれからなんだからよぉ」

「あぁ、そうですよね。すいませんね」

イモジリさんは僕に謝った。僕は〝いえいえ〟というふうに首を小さく左右に振った。

更生保護施設に着き、僕がトラックから出られるように、イモジリさんが助手席のドアを開けてトラックを降り、僕も続いて降りた。

「んじゃあな、明日、またおんなじ時間に来っから。ちゃんと休んどけよな」

奥の運転席からジンベイさんが言った。

「はい。ありがとうございました」

ドアの前に立ったイモジリさんが、

「お疲れ様です。また、明日」

と言って、律儀にお辞儀をした。

「はい。お疲れ様でした」

僕もお辞儀をした。

イモジリさんが乗り込むと、トラックが走り出した。少し進んだところで、

〝パンッ　パパパンッ　パン、パンッ　パン〟

と、ジンベイさんがリズムを取りながら小刻みにクラクションを鳴らし、運転席の窓から右腕を出して僕に手を振った。僕も小さく手をあげた。

――あんちゃん、病気なんだって？――

ジンベイさんの言葉が、頭の中で谺《こだま》した。

僕の過去を知ったら、あの二人はどう思うだろう？　それでも〝仲間〟だと思うだろうか？〝あんちゃん〟と呼んでくれるだろうか？〝健康ランド〟の説明をしてくれるだろうか？

走り去るトラックの、ゴミを全部降ろして、洗って、すっかりきれいになった荷台を、僕は見つめ続けた。

最終居住先（二〇〇四年五月中旬〜二〇〇五年一月）

二〇〇四年五月中旬。僕は東京を離れ、最終居住先である篤志家のYさんの家に移ることになった。

廃品回収の仕事を一緒にしたジンベイさんとイモジリさんに、最後に直接会ってお礼が言いたいと観察官に申し出たが、叶わなかった。

「たまごサンド作ったから、お昼に食べて」

寮母さんは僕に、風呂敷で包んだ弁当箱を差し出した。僕はお礼を言って弁当箱を受け取り、寮母さん夫妻に頭を下げ、三人の観察官たちとワゴン車に乗り、約一か月間お世話になった更生保護施設をあとにした。

昼頃、パーキングエリアに入って車を停め、四人で車の前に立って待っていると、最終居住先の地区を管轄する保護観察所の観察官が二人、向こうから歩いてきた。

二人とも四十代半ばくらいに見えた。彼らはお互いを「次長」「課長」と呼び合っていた。次長は色白で、ポパイのように前腕部に筋肉が付いていた。課長は逆に色黒で、年相応に贅肉が付き、人懐っこい真ん丸な眼をしていた。

観察官同士で名刺交換を済ませると、課長が僕のほうを向いて言った。

「君がA君ね？　よろしく」

「はい。よろしくお願いします」

「そいじゃ、この人たちにお礼言って、行こうか」

課長に促され、僕はハッカイ・サゴジョウ・ゴクウたちのほうを振り返り、

「お世話になりました」

と言ってお辞儀をした。

「うん。じゃ、元気で」

ハッカイが言った。ゴクウは軽く手を振り上げて〝じゃなっ〟というようなジェスチャーをした。

次長と課長に連れられて、彼らが乗ってきた乗用車へ向かって歩いた。

「なんか、食べてかなくていいか？」

課長の言葉で、僕はハッとした。

「すみません、ちょっとお弁当忘れてきちゃったんで、取ってきていいですか？」

「弁当？　向こうの車？」

「はい。すぐ戻ります」

「うん。いいよ。行ってきな」

僕はハッカイたちの車に向かってダッシュした。寮母さんが自分のために作ってくれた弁当を一秒でも早く取りに行きたかった。車に近付くと後部座席のドアからゴクウが弁当箱を持って降りてきた。

「これでしょ？」

ゴクウは笑って弁当箱を僕の前にかざした。

「すみません。ありがとうございます」

息を切らしながら礼を言い、弁当箱を受け取って次長と課長の待つ車に戻った。

後部座席に僕が乗り込むと、課長が助手席に、次長が運転席に乗り、出発した。

次長は無口で、課長は話し好きだった。課長は助手席からよく僕のほうを振り向いて、話しかけてきた。

「さっきさ、あの若いのいたじゃない、ほら、ちょっと眼の細い。俺、最初遠目から見た時、彼が君なんじゃないかって思ったよ。訊いてた印象とずいぶん違うなぁ〜ってさ」

ゴクウのことだ。そんなに似ているだろうか。僕はどう返したらいいのかわからずにただ課長の顔を見ながら曖昧に頷《うなず》いた。

「Yさんとは、もう会ってるんだっけか？」

課長が訊いた。

「はい。少年院に何度か面会にきてくれました。奥さんと一緒に」

「おう、そうかそうか。君が来ることをすごい喜んで、楽しみにしてるよ。大雑把なところもあるけどさ、面倒見のいい人だよ。君以外にもこれまで、いろんな事情抱えた人の手助けをしてるんだ。困った人見ると放っとけないタチの人だから、遠慮せず、何でも相談したらいいよ。奥さんもまた優しい、いい人だしね」

「はい。ありがとうございます」

三時間ほどかけて着いた先は、海が近く、自然も豊かで、古い街並みの残る長閑《のどか》な地域だった。風の中に、仄《ほの》かに潮の香りがした。

身元引受人である篤志家のYさんの家は、木々に囲まれた高台にぽつんと建つ、これと言って何の変哲もない、どこにでもある瓦屋根の二階建て日本家屋だった。

玄関の引き戸は半分開けられていた。課長がインターフォンを押す。ぺちゃぺちゃとペンギンが歩くような足音を響かせながら、Yさんが玄関から出てきた。

「こんにちは。今日からよろしくお願いします」

僕はYさんに挨拶した。

「やあ。やっと来てくれたね。待ってたよ。ささ、そんなとこ突っ立ってないで、上がった上がった」

Yさんは僕と課長と次長を家の中に招き入れた。キッチンでは奥さんがスキヤキ鍋の準備をしていた。

「こんにちは。お世話になります」

僕は奥さんに挨拶した。

「あぁ、いらっしゃい。お腹空いたでしょう？　ほらほら、座ってちょうだいな。あなたたちも、ほら」

そう言って奥さんは、僕と観察官たちをテーブルに促し、四人で鍋をつついた。

Yさんと彼の奥さんは、すべて事情を知った上で僕を自分たちの家に置いてくれた。彼らがいなければ、僕の社会復帰はなかった。

Yさんはとても明るくて、愉快な人だった。人とのどんな些細な繋がりも大事にしていた。僕の他にも、過去に傷がある人や、生き辛さを抱える人たちのために、手弁当であちこち駆け回り、無償で尽くしていた。

Yさんの奥さんは、穏やかで、物静かであるが、そこはかとない芯の強さと忍耐力を感じさせる人だった。奥さんは人付き合いが苦手な僕のことをよく理解してくれて、いつも一歩引いたところから、僕を支え、見守ってくれた。

彼ら二人は、嫌な顔もせず、文句のひとつも言わず、取り返しのつかない罪を犯した僕を実の家族のように迎え入れてくれた。食事や身の回りの世話ばかりではなく、これからどのように生き、罪を償っていけば良いのかを、僕と一緒に悩み、真剣に考えてくれた。

自分でも気付かないところで、どれほどこの二人に支えられたかわからない。

Yさんは、僕が少しでも早く地域に溶け込めるように、僕をいろいろなところに連れて行き、友人知人に僕のことを「息子です」と言って紹介した。Yさんと親しい人たちも、皆親切だった。

最初の二週間くらいは仕事もせず、新しい環境に身体を馴染ませることに努めた。

Yさんが仕事で留守にしていたある日、奥さんが気を利かせて僕を近所の喫茶店に連れ出した。丸い小さなテーブルを挟んで奥さんと向かい合い、コーヒーを飲んでケーキを食べた。

奥さんは精神疾患を抱える人たちへの社会的ケアに関心を持ち、福祉関係の冊子に文書を投稿したことがあるという。喫茶店を出て家に戻ると、奥さんは僕にその冊子を読ませてくれた。僕は奥さんの文章のうまさに驚いた。大袈裟な表現があるわけでもない、読み手の心に自然に流れ込むような、いっさいの不純物を濾《こ》しとった無駄のない澄んだ言葉で、心に病を抱える人たちが、どうすれば地域社会の中で幸せに暮らせるのか、自分の考えを率直に表現していた。物静かで芯が強い奥さんの人柄が、そのまま文字に変換されたようだった。

「A君に読んでもらえて嬉しいよ。ありがとね」

僕が読み終えると、奥さんはそう言って、優しく、少し誇らしげに、微笑んだ。奥さんは、奥さんなりの方法で、僕に大事な何かを伝えようとしてくれたのかもしれない。

ふと、思うことがある。なぜ僕は、病気にならなかったのだろう。あれほど残虐な、到底許されない罪を犯しながら、自殺もせず、発狂するわけでもなく、毎朝きちんと起き、顔を洗い、歯を磨き、髭を剃り、食事をし、仕事へ行き、他の人たちと同じような生活を長いあいだ送り続けた。人の命を奪っておいて、なぜそんなことができたのか。自分はいったいどういう人間なのだろう……。

一度だけ、僕は精神が崩壊する一歩手前まで追い詰められたことがある。

一九九九年八月。関東医療少年院に入って二年目の夏。僕は十七歳だった。

「ちょっと話がある」

独房の扉を開けた担当の教官が、いつになく深刻な面持ちで言った。僕は黙って頷き、廊下へ出た。蟬《せみ》の啼音《なきね》が廊下中に鳴り渡っていた。面接室に通され、部屋の真ん中に置かれたデスクを挟んで教官と向かい合った。デスクの上には二冊の本が置かれていた。

「最近、君の内省が深まっているように先生は感じる。先生たちもいろいろ話し合ったんだけど、このへんで、君に読んでもらいたい本がある。君は知らないだろうけど、淳《じゅん》君のお父さんと、彩花《あやか》さんのお母さんが、事件のあと手記を出したんだ。先生も先に読ませてもらった。二冊とも、三回読んだ。先生も人の親だし、他人事とは思えなかった。涙が止まらなかった。はっきり言うけど、君にとってかなりハードな内容だと思う。でも絶対に、避けては通れない。ゆっくりでもいいから、読んでみてほしい」

教官はデスクの上に置かれた二冊の本を、すっとこちらへ差し出した。僕は唾を呑み込み、本を受け取って独房へ戻り、一気に読んだ。そのあいだ、周囲の音はいっさい聞こえなかった。

二冊とも読み終えると、喉がカラカラに渇いていた。僕は椅子から立ち上がり、独房の奥の洗面所に向かった。蛇口をひねり、プラスチックのコップに水を入れ、一気に三杯飲み干した。

その日の夜から、僕はほとんど眠れなくなった。布団に入ると、犯行時の様子が繰り返し繰り返しフラッシュバックした。泣き叫ぶ淳君。最後まで僕を見ていた彩花さんの眼差し。二人の声。仕草。気配。匂い。首のない淳君。血まみれで横たわる彩花さん。何もかもが鮮明に、手を伸ばせば触れられるほどリアルに、眼の裏にありありと映し出された。

僕は次第に精神に変調をきたし、睡眠薬、向精神薬を投与され、一日中パジャマ姿で、独房から出られない日が続いた。自分が壊れていくのがわかった。情けなく、許されないことであるが、ふと、このまま壊れてしまったほうが楽かもしれないとも思った。脆弱極まりない僕の精神では、自分の引き起こしたこの余りにも重い現実を、受け止めきれなかった。苦しかった。誰のせいにもできない。すべて自分のしたことで、自分以外に責めを負うべき者はどこにも、ひとりもいなかった。それが何よりも辛くて、苦しくて、気が狂いそうだった。息を吸うたび、内臓を焼かれるような苦痛を感じた。

狂気の海に逃げ込もうとバシャバシャ藻掻《もが》く醜く矮小《わいしょう》な僕に、少年院の教官たちは「それでも罪を背負って生きていくしかないのだ」と、根気強く、誠心誠意はたらきかけた。彼らのおかげで、僕は徐々に落ち着きを取り戻し、安定していった。

僕は只々《ただただ》、苦しみから逃れたい一心だった。迷いを振り払うように脅迫神経症的に独房の隅から隅までピカピカに掃除し、何かに取り憑《つ》かれたように筋力トレーニングに励み、脇目も振らず課題や学習に取り組んだ。黙々と日課をこなし、徹底的に身体を痛めつけ、頭を疲れさせることで、狂人の楽園への逃げ道を塞《ふさ》いだ。

少年院のスタッフはそれを「成長」と捉え、評価してくれた。

成長――。

成長期には骨が急激に発達し、体の節々に痛みが生じる「成長痛」が伴うという。同じことが、「心の成長」にも言えると思う。きちんと「心の成長痛」を伴わない成長は、本当の成長とは呼べないのではないか。

僕はあの時、ちゃんと心と身体の真っ芯から「痛み」を感じきれたのだろうか。本当にとことんまで、自分の犯した罪や、自分自身と直面できたのだろうか。「成長」できたのだろうか。無意識のうちに、人間としての何か大事な機能を停止させ、ぎりぎりのところで「痛み」を回避してしまったということはないのだろうか。やっと摑みかけた大事なものを、すんでのところで取り零《こぼ》してしまったということはないのだろうか。僕があのあと黙々と日課をこなしたのは、「成長」したからなのか？　それとも、自分でも気付かないうちに大事な何かを欠落させて、間違った方法で痛みをやりすごしていただけなのだろうか……。

「心が弱い人が精神病になる」という意見もある。果たしてそうだろうか。人間としての痛みをちゃんと真正面から感じているからこそ、病気になってしまうこともあるのではないだろうか。精神を病む人の心の皮膚はとても敏感で、他の人たちが全然平気なレベルの微弱な刺激でも、荒れたり爛《ただ》れたりするのではないか。

僕の場合はどうなのか。病気になる余地もないほどに人間が壊れているか、自分がしたことと、まだちゃんと直面できていないから病気にならないのか、そのどちらかではないのか。

なぜ僕は生きているのだろう？

病気になっていないのだろう？

救いようもなく壊れているからなのか？

それともまだ逃げ続けているからなのか？

本当のところ、自分でもわからない。いったいどっちなのか……。

奥さんはとても慎重な性格で、日中以外はひとりで外出することがなかった。いつだったか、家の近所で開かれた自治会のコンサートに奥さんと一緒に出掛けたことがあった。その日もYさんは留守で、家には僕と奥さんしかいなかった。夜の七時頃、僕が二階の自室で寝転がって漫画を読んでいると、遠慮がちに襖《ふすま》を叩く音がした。起き上がって襖を開けると、奥さんが立っていた。奥さんは少し申し訳なさそうな顔をして、俯《うつむ》き加減でこう言った。

「あのさ、もし、忙しくなかったら、〇〇会館で自治会のコンサートあるんだけど、一緒に来てもらえない？　もう外暗いし、ひとりで行くの怖いから」

その言葉を聞いて、僕は耳を疑った。

——ひとりで行くのが怖い？　奥さんは、僕と一緒に夜道を歩くことは、怖くないのだろうか？——

告白すると、僕はYさん夫妻の家に住まわせてもらっていた当初、心のどこかでこう思っていた。

「Yさんが僕の身元引受人になることを了承したから、奥さんはYさんに従って仕方なく僕を受け入れたんだ。本当は凶悪な犯罪を犯した僕のような者と寝食を共にするなんて、嫌に決まっている」

僕は奥さんのことを何ひとつわかっていなかった。もし奥さんが、本当に僕のことを

「犯罪者」として見ていたのなら、夜道をひとりで歩くのが怖いからという理由で、僕に同伴を求めるだろうか。そんなことはあり得ないと思う。ひとりの人間として、ちゃんと信頼してくれたからこそ、奥さんはあの夜、僕にあのように頼んだのではないか。もしかすると、あれは奥さんなりの、「私はあなたを信頼しています」という、僕へのメッセージだったのかもしれない。

盆休みには、Yさん夫妻の息子さん、娘さんが訪ねてきた。奥さんは大切なお二人に僕を引き合わせた。僕のほうは、本当のところどう接すればいいのかわからず戸惑ってしまったのだが、何も話せなかった僕の代わりに、奥さんは僕の仕事や趣味について、息子さんや娘さんに明るく話してくれた。僕に対して偏見や先入観を持っていたのなら、愛するわが子に僕を会わせたり、僕について話をしたり、そんなことはできるはずないと思う。

それでも奥さんは、決して僕の過去を度外視して僕と接していたわけではなかった。

奥さんと過ごした時間の中で、いちばん印象に残っている出来事がある。

二〇〇四年十二月。保護観察期間が残り一か月を切った頃、関西テレビで、事件から七年間の淳君のご家族の軌跡を追ったドキュメント番組が放送された。当時僕を支援していた民間のサポートチームのリーダーである関西の弁護士のWさんから、その番組を録画したビデオテープが届いた。僕はYさんから、

「ひとりで見ちゃだめだよ。僕が仕事から戻ってから、一緒に見よう」

と言われた。でも僕は、どうしてもそれは自分ひとりで見なくてはならないものだと思い、Yさんの言いつけを破って、居間へ降り、届いたビデオテープをビデオデッキに入れ、ソファーに座り、再生ボタンを押した。奥さんはその時、居間のすぐ横のキッチンで夕飯の支度をしていた。珍しく自分から居間へ降りてきた僕を見て、奥さんは僕が何をしているのかすぐに察した。そのビデオは、Yさんと一緒に見る約束だったことを奥さんも知っていたと思う。でも奥さんは僕を咎《とが》めるでもなく、夕飯の支度を中断して自分も居間へやってくると、僕の右斜め前六十センチほどのところに正座をし、僕と一緒に、事件についてのドキュメント番組を、ただじっと見てくれた。

僕は奥さんとは、事件について話したことは一度もなかった。でも奥さんは、僕の過去を見て見ぬ振りしたのではない。決して生半可な気持ちで僕を受け容れたわけではない。僕が何をしてきた人間なのか、どんな罪を背負っているのか、それらすべてを知った上で、僕のことを、「罪を背負ったひとりの人間」として、受け容れ、寄り添ってくれた。今でもよく、あの時の、僕のすぐそばで正座をしてテレビ画面を見つめる、毛玉のたくさん付いたピンクと白のボーダー柄のセーターを着た、斜め四十五度の奥さんの後姿を、その小さな背中を、しみじみと思い出す。今なら素直に思い浮かべることができる。あの時の奥さんがいったいどんな表情をして、どれだけ真剣な眼をして、僕と一緒にテレビの画面を見つめていたのかを。

「罪の意味　少年A仮退院と被害者家族の7年」。それが番組のタイトルだった。淳君の二歳年上のお兄さんにスポットライトを当て、事件後、彼が何を思い、どのように苦悩して生きてきたのかを取材し、第13回FNSドキュメンタリー大賞を受賞した作品だった。

仮退院が近付いた頃、更生の信憑性や治療の成果を判断するため、僕は複数の外部の医師と面接した。その時に何度か会って話をした児童精神科医が、この番組の中で、少年院で僕に会った時の印象を次のようにコメントした。

「礼儀正しく、作り直された人工的な印象を受け、壊れやすい温室の花を連想した」

そう言われても仕方ないなと思った。僕は「精神科医」という肩書を持つ人に対しては、ことさら冷静に、感情や表情を消して振る舞うのが習い性《しょう》だからだ。

このコメントを見た奥さんが、ぽろっと口にした言葉が忘れられない。

「私は、少年院で初めてA君に会った時、そんなふうには思わなかったけどなぁ〜」

奥さんは、僕に聴こえるように意識して言ったのではなく、本当にただ率直に、思ったままを言葉にしたような口振りだった。その何気ない一言は、僕の心をじんわりと温めた。

番組の最後のほうで、淳君のお兄さんは加害者の償いについて次のように話した。

「更生してくれるのは結構なこととは思いますけど、内心はどうして弟はあんな目にあわされたのに、相手側はのうのうと生きられて、まともな生活ができるのかなと思います。もし本当に罪が償えると思っているなら、それは傲慢だと思うし、所詮言い逃れにすぎない」

　重い言葉だった。僕が施設でのうのうと守られているあいだ、淳君のお兄さんはこんな気持ちを抱えながら、独り苦しみ続けていた。

　僕が「謝罪したい」と思うこと自体、傲慢なのかもしれない。どうすればいいのだろう。これほどの苦悩を、これほどの憎しみを、僕はどうやって受け止めればいいのだろう。僕は思考停止状態に陥り、途方に暮れてしまった。

　番組が終わると奥さんは、まるでずっと息を止めて見ていたかのように、長く深い溜め息をついた。奥さんにとっても、きっとこの番組を見るのは辛かったろうと思う。見終わってもお互い、何の感想も言わなかった。一言も言葉を交わさなかった。

　僕が停止ボタンを押し、テレビを消すと、奥さんは、「よっこらしょ」と言ってゆっくりと立ち上がって、また何事もなかったように夕飯の支度を再開し、僕はそそくさと二階の部屋へと戻った。そのあとも、奥さんとその番組について話すことはなかった。でも僕はあの時ほど、身も心も奥さんを近くに感じたことはなかった。嬉しかった。本当に嬉しかった。

　奥さんがどれほど真摯に僕と向き合ってくれていたのか、寄り添ってくれていたのか、当時の僕は、奥さんの深い気持ちを、ちゃんと受け止めることができなかった。壁を作っていたのは奥さんではなく、僕のほうだった。

――本当は嫌なくせに――

心のなかでそう呟《つぶや》きながら、自分の過去を口実にして、僕は奥さんに対して壁を作っていた。僕は最低だった。卑屈で、醜くて、人の気持ちを想像できない、歪《ゆが》みきった人間だった。

奥さんは、僕の罪もろとも、僕をひとりの人間として受け容れ、僕と、僕の犯した罪に、静かに寄り添ってくれた。その体験は今でも、僕の大事な糧となっている。

Yさんの家には訪問客が多かった。誰かが訪ねてくると、Yさんは僕を呼んで、お客さんも交えて一緒にお茶を飲んだ。

ある日、みすぼらしい作業服姿の初老の男性が訪ねてきた。Yさんから「こちらはGさん」と紹介された。Gさんは白髪を短く刈り込んだ坊主頭で、ズボンは継ぎ当てだらけだった。Gさんは塗装工の仕事をしていると言った。服装とは裏腹に、その温和な話し方や落ち着いた物腰からは、どこか高潔な雰囲気が漂っていた。顔は日に焼け、鼻が大きく、濃く茂った眉の下の小さな眼は、素朴で、悲しげな印象があった。どことなく父親と佇《たたず》まいが似てる気がした。

Gさんが帰ったあと、YさんがGさんの身の上話をしてくれた。

Gさんは昔人身事故を起こし、相手の方が亡くなった。以来Gさんは、車はおろか自転車にさえ乗らず、「ハンドル」と名のつくものにはいっさい手を触れなくなり、職場まで片道一時間以上かかる距離を、雨が降ろうと雪が降ろうと毎日歩いて通勤した。

僕はYさんからこの話を聞いて、強いショックを受けた。たとえ過失であっても、Gさんはひとりの人間の命が自分の行動によって失われた重い現実を深く受け止め、その罪を背負い、文字どおりの「償いの道」を、何年も、何十年も、その足でひたすら歩き続けた。Gさんの人としての真摯な生き方を突きつけられ、僕は自分自身の「償い」や「生きる姿勢」について問い質《ただ》されているような気持ちになった。

Gさんとは比較の対象にさえならない、人間として到底許されない、あれほどに重大な罪を犯した自分は、いったいどれだけ、その現実を深く受け止め、自覚し、意識できているだろうか。Gさんの半分でも、自分の罪と向き合い、償いながら生きていく覚悟を、本当にちゃんと持っているだろうか。自分がこの社会の中で生きていることの意味を、どこまで理解できているだろうか……。

居候の身で家でゴロゴロしているのも気まずいので、僕は家に居る時間を少しでも減らそうと皿洗いや施設清掃などのアルバイトを始めた。でも収入の不安定なアルバイトをいつまでもズルズルと続けるわけにはいかなかった。保護観察期間は十二月末で終わる。それまでに、自立してやっていける正業に就かなくてはならない。いつまでもYさんの家に置いてもらうわけにはいかないと思った。

僕は弁当を持ってハローワークに通い、正社員の仕事を探した。学歴がないために就職活動は難航した。僕は焦りを感じ、次第に投げやりになった。

そんな折、Yさんが行きつけの喫茶店のマスターを紹介してくれた。マスターはブランデーを混ぜた美味しいコーヒーを出して、自分の店を持つまでの苦労や努力を話してくれた。マスターはよく手入れされた口髭が印象的な、とても話が上手な人だった。彼も学歴のない人だったが、音楽や絵画の知識が豊富で、僕は時間が経つのも忘れてマスターの話に聴き入った。僕はマスターのことがすっかり好きになり、ひとりでもマスターの店に足しげく通うようになった。マスターに勇気付けられた僕は、再度自分を奮い立たせて就職活動を続け、秋になる頃に正社員の仕事に就くことができた。この職場には翌二〇〇五年八月頃まで、約一年勤めることになった。仕事が決まった時には、Yさんや奥さんばかりでなく、マスターも自分のことのように喜んでくれた。そういった地域の人たちにまで、僕はどんなに支えられていたことだろう。

今でも時々、マスターの淹《い》れるブランデー入りのコーヒーの味が恋しくなる。マスター手づくりの、あの温かみのある、角を丸く削った木製のカウンターテーブルに頬杖をついて、魔法にかけられたようにマスターの話に聴き入っていた、楽しくて、刺激的な時間は、いつまでも僕の中で色褪《いろあ》せることはない。

保護観察期間が終了する数日前、課長が両手に大きな手提げ袋を抱えて、最終面談に訪れた。二階の自室で課長と差向いに胡坐《あぐら》をかき、最後の会話を交わした。

「これね、うちの息子の服なんだ。サイズが合うかどうかはわからないけど、よかったら着てよ。合わなければ捨ててくれていいから」

課長は持ってきた手提げ袋を開いて僕に見せながら言った。僕は特に何の考えもなく課長からその服を受け取った。

「初めて君と会った時さ、ほら、高速のパーキングで、あの時、君をパッと見てね、これは〝勘〟としか言いようがないんだけども、〝この子は大丈夫そうだ。きちんとやっていける〟って思ったんだよ。短い付き合いだったけど、元気でやってくれな」

「はい。いろいろお世話になりました」

玄関で課長を見送った。課長は少し歩いてからこちらを振り返り、「しっかりな」というように右手を大きく振り挙げた。僕は深くお辞儀をした。

恥ずかしく、情けない話であるが、自分の子供の服を僕に与えた課長の気持ちに思い至ったのは、ずっとあとになってからだった。他人の子供を殺めた僕に対しては、たとえ観察官であっても、人の親として決して許せない気持ちを持つと思う。そんな人間に、自分の子供の服を与えた彼の中には、どんな思いがあったのだろう。

課長はひとりの人間として僕と接し、「自分のしたことをきちんと見つめて、しっかりと前を向いて生きて行ってほしい」という願いを込めて、自分の子供の服を、僕に手渡したのではないか。

課長だけではない。社会に出て以来、僕と接し、僕を支えてくれた人たちは皆、形はそれぞれ違っても、仕事としてだけではなく、ひとりの人間として僕と向き合ってくれていたのではないか。

今更言っても詮《せん》ないことだが、もっと早くそれに気付き、自分を支えてくれた人たちひとりひとりに、この感謝の気持ちを直接伝えたかった。

旅立ち（二〇〇五年一月～二〇〇五年八月）

二〇〇五年元旦。保護観察期間が終了し、僕は本退院となった。この日から、法的な縛りはいっさいなくなった。

青味が皮膚に色移りしそうな晴れ渡る空を見上げ、僕は被害者の方たちのことを思った。淳《じゅん》君のご遺族、彩花《あやか》さんのご遺族は、今自分が見上げるこの青空を、どのような思いで見上げているのだろう……。

――もし本当に罪が償えると思っているなら、それは傲慢だと思うし、所詮言い逃れにすぎない――

淳君のお兄さんがドキュメント番組で口にしたこの言葉が、僕の見上げる空に響き渡る。僕が更生しようと、淳君も彩花さんも、戻ってくることはない。自分が生きて、更生して、謝罪するのは、淳君のお兄さんが言ったように、ただの自己満足に過ぎない。僕が「謝罪したい」「更生したい」と思うこと自体が、傲慢極まりないことなのかもしれない。

じゃあどうすればいいのだろう。相手を傷つけることになっても、ひたすら謝罪を続けていくことが本当に正しいのだろうか。謝罪とは何だろう。償うとはどういうことだろう……。

明確な答えが出せず、「贖罪」について思い迷い、混乱したまま、僕はYさんの家を出て職場の近くにアパートを借り、生まれて初めてのひとり暮らしを始めた。

仕事はプレス工だった。まだ不景気になる前でけっこう忙しく、月に手取りで十七、八万は稼いだ。家賃は三万。食費や光熱費を差し引いて、一か月に十万は貯金できた。酒も煙草もやらず遊びにも行かない。余計な物も買わない。銀行口座の貯金額が増えていくことだけが楽しみだった。

家での食事はカップラーメンと冷凍食品のみ。外食はいっさいしなかった。もっとも、食生活に関しては無理に節約していたわけではなく、僕はもともと食べることに興味がなかった。もし食事の代わりにガソリンでも飲んで動けるのなら、僕は間違いなくもう二度と〝食べる〟という行為には従じないだろう。冗談に聞こえるかもしれないが至って本気だ。それほど僕には、〝食べる〟という行為が煩《わずら》わしいったらない。うまく言えないが、僕が〝食事をしている〟というよりも、僕が〝食事という行為に食べられている〟という気がするからだ。

休日は朝早くに起きてジョギングをし、帰ってシャワーを浴びる。軽くストレッチをしてから冷蔵庫を開け、買い溜めしてある冷凍食品を取り出してレンジで温める。温め終わったらレンジ前の空きスペースに皿を置いて、冷蔵庫をテーブルがわりに立ち食いする。食べ終えたらそのまますぐ横の台所で皿を洗い、洗い終わったら回れ右して三歩進み、浴室の洗面台で歯を磨く。

面倒なことは〝流れ作業〟でさっさと済ませてしまうに限る。安くて量のあるパスタやチャーハンを幾つも買って冷凍室にぎっしり詰め込んだ。食品の買い出しは週に一回。一週間分の〝燃料〟をまとめ買いする。〝味を楽しむ〟という概念は持ち合わせていないため、同じ食品をいくつも買う。買い物カゴの中には同じ食品ばかりが目一杯入っている。たまにレジで自分の後ろに並ぶ客が怪訝な顔をするが、僕は気にしない。胃袋に入ればどれも同じペーストになるものを、わざわざ選ぶ意味がわからない。

食事には頓着《とんちゃく》しないが水分はよく摂《と》る。よく摂るというよりも、過剰に摂る。夏でも冬でも、特にストレスが溜まると僕は異常に喉が渇く。一日三リットルはフツーに飲む。まともに食事を摂らないで水ばかり飲む。すると、別に痩せるつもりはないが、水ダイエットをしているような状態なので体重が減っていく。夏場は特にヤバい。だが体重が減ったからといってバテやすくなったりはしない。むしろ身体の調子はすこぶる良かったりする。

昼になると図書館へ行く。この頃興味を持ったのはアクセサリーのデザインだ。僕は自分自身は腕時計はおろかアクセサリーの類はいっさい付けないのだが、物をデザインすることがとにかく好きだった。図書館で七宝焼きやシルバーのハンドメイドアクセサリーの入門書を読み耽《ふけ》り、ピアスやブレスレット、指輪、アンクレット（足輪）、ネックレスなど、大学ノートにオリジナルのデザイン画をたくさん描いて独り楽しんだ。モチーフは、矢の刺さった心臓のペンダントや蜘蛛の巣に捕らわれた蝶のピアス、ムカデをデフォルメしたブレスレット、目玉の指輪など、こんなものいったい誰が付けたがるんだというようなグロテスクなものばかりだった。グロいもの、醜いものをいかに美しくデザインするかが僕の関心事だった。

保護観察期間終了後も、Yさんと複数の弁護士からなるサポートチームが、僕と被害者遺族とのパイプ役となり、謝罪の手紙を届けてくれたり、被害者の方からの伝言を受け取り、僕に伝えてくれたり、いろいろと力になってくれた。

他の仕事を抱えながら、ただでさえ忙しい中、何の見返りもなく、普通なら誰もが避けたがるような難しい役どころを引き受けてくれた彼らへの感謝の気持ちは、当然強く持っていた。

しかし、それとは別に、僕の中に燻《くすぶ》っていた、ある抑え難い想いが、徐々に熱を帯び始めた。

思えば僕は、これまでずっと誰かや何かに管理されてきた。逮捕されるまでは、親や学校や地域社会に。逮捕後は国家権力に。社会復帰後は、Yさんを始めとするサポートチームのメンバーに。

自分は順調に更生の道を歩んでいる。保護観察も無事終了したし、仕事も見付かったし、何の問題もない。このままやっていけばいい。何度も自分にそう言い聞かせた。でも夜布団に入って眼を閉じると、真っ暗闇の中で顔の見えないもうひとりの自分が、僕にこう問いかけた。

「贖罪とは何なのか、罪を背負って生きる意味は何なのか、迷いを抱え何ひとつ明確な答えも出せず、ただYさんや弁護士に言われるまま被害者に手紙を書いて、お前はいったい誰に向かって償いをしているんだ？」

「今、お前のいるその場所は、お前が自分で見つけた場所なのか？　それとも周りに用意してもらった〝籠〟なのか？　今のお前は自分の足で立っていると胸を張って言えるか？」

「一生、そうやって安全な籠の中で、自分の頭で何も判断せずに済む状況で、自分の意志で何かを選択することを避け続けて生きるのか？」

「他人から与えられた環境でしか生き伸びられないなんて、それで〝生きている〟と言えるのか？」

「今のお前は籠の中の小鳥だ。鎖に繋がれた犬だ」

「本当にこのままでいいのか？　お前は自分自身の生き方に納得しているか？」

このままではいけない。その想いは日に日に強く大きくなり、僕は夜な夜な身体の内側を引っ掻き回されるような激しい焦燥感に駆られ、眠れなくなった。

他人に用意された籠の中では、本当の意味で償うことも、生きることもできないのではないか。

他人の命を奪った罪を償う、それがどういうことなのか、簡単に答えが出せるはずはないし、簡単に答えを出してはいけないことだとも思う。

ひとつだけはっきり言えるのは、自分自身の責任と判断で物事を選択し、自分の脳味噌で悩んで悩んで悩み抜き、自分の身体で行動を起こさなければ、一生、その〝答え〟に辿り着くことはできないということだ。他人に敷かれたレールの上から跳び降り、しっかり地面を踏みしめて、一歩一歩自分の足で歩き、自分の頭で考え、自分の力で自分の居場所を見付け、自分の意志で償いの形を見出さなくては意味がない。そのためには、自分はどうしても「ひとり」になる必要がある。

狭い籠の中で一生を終えるより、籠から飛び出して野垂れ死んだほうがずっとマシだ。失敗しても成功しても構わない。「少年A」ではなく、誰でもないちっぽけなひとりの人間である自分が、実際〝ナンボのモン〟なのかを知りたい。広い世界へ飛び出して、自分に何ができて何ができないのかを、自分の身体で確かめたい。自分を試したい。自分の過去を知る人がいない土地で、今度こそゼロから自分の居場所を創り上げたい。

若気の至りだと笑われてしまうかもしれないが、僕は真剣そのものだった。このままでは自分はダメになるという確信めいた直感があった。

肚《はら》が決まると行動は早かった。夏のボーナスをもらうとプレス工の仕事を辞め、荷物の処分を始めた。

アパート退去日の前日の夕方、ジョギングコースの近所の大きな公園をぶらぶら散歩した。広い芝生の真ん中に大きな溜め池があり、芝生の向こう側は樹に囲まれ、遠くには海が見える。夕日が三分の一ほど水平線に浸《つ》かり、そこから伸びてくる光が公園を取り囲む樹々の隙間を透かして芝生の真ん中の溜め池の水面《みなも》をまだらに彩っている。

芝生も樹も逆光で真っ黒に染まり、夕日のライトで浮かび上がる樹々のシルエットは藤城清治の影絵のようだった。少年院を出てから初めて、風景を見て「綺麗だな」と思った瞬間だった。僕のいる暗闇に、やっと光が射し込んだように思えた。

散歩の帰りに銀行に立ち寄り、アルバイトの時からずっと貯めていたお金を全額引落した。ボーナスと合わせて七十万ちょっとだった。

アパートに帰り、布団も洗濯機もカーテンもない空っぽの部屋で夜を迎えた。心は静かに定まり、不思議に不安はなく、すがすがしい気分だった。

いよいよ退去当日、午前中に来るはずの不動産会社の担当者が昼前になっても来なかった。正午を過ぎると僕は担当者に電話した。

「すいません、今、隣の隣の部屋に居るんですよ。こちらも今日退去手続きで、もうちょっとかかりそうなんで、お待ちいただけますか？　はい、終わったらすぐに、すいません。どうぞよろしく」

よりにもよってこんな大事な日に退去日がカブるとは。地団駄を踏んでも仕方ないのでそのまま待つことにした。

十三時を過ぎた頃にやっと担当者が部屋にきた。

「いやぁ〜、すいませんすいません」

担当者は三十代半ばくらいの男性、ひょろっと背が高く、口の周りの髭の剃り跡が剃刀負けでガサガサに荒れていた。

もともと物が少なく、マメに掃除もしていたので、僕の部屋の点検はものの五分ほどで終わり、書類にサインした。

「いやぁ〜、すごいきれいに使っていただいてたんですね。さっきの部屋の人、もうキッタなくてキタなくて……。おまけに窓ガラスにでっかい罅割《ひびわ》れがあって、本人は『そんなの知らない。最初っからでしょ』とかって言うんですけど、そんなのあり得ないでしょう？　ちょっとモメちゃって……。時間食っちゃってすいませんね」

「いえ、いいんです。大変でしたね」

と、僕は労《ねぎら》いの言葉をかけた。

手続きが済むと、必要最低限の生活用品と着替えを詰め込んだキャリーバッグを引いて駅に向かった。七十万の現金は百円ショップで買ったクッションケースに入れ、腰に巻いたウェストポーチに大事に仕舞った。その全財産が僕の命綱だった。

駅前のポストに、自分の固い決意をしたためたYさん宛の手紙を投函し、改札に向かった。

事件から八年。僕は、他人が自分に着けた〝色〟をすべて刮《こそ》ぎ落とし、今度は自分で自分に〝色〟を着けるために、長い旅に出た。

事件から八年目の、二十三歳の夏だった。

新天地（二〇〇五年八月中旬〜二〇〇七年十二月）

今考えると本当に無茶なことをしたと思うが、衝動に任せて行動してしまったため、行くあても頼る人もなく、これからどうするか具体的な先の計画は皆無だった。まずは当時住んでいた地域を遠く離れ、雨風をしのげる塒《ねぐら》をキープすることが目下の課題だった。

電車を乗り継ぎ縁もゆかりもない土地へ降り立つと、カプセルホテル、健康ランド、ネットカフェなどを泊まり歩き、できるだけ安く、自分の身体に合った長期滞在できそうな環境を探した。いろいろ吟味した結果、一泊千八百円のカプセルホテルに落ち着いた。

料金の面ではネットカフェがいちばん安上がりではあるが、ナイトパック割引きが適用される時間になるまで外に出ていなければならないし、夜中になってもキーボードを叩く音がうるさく、何よりすぐ横に人の気配を感じながら就寝するなんて僕にはどだい無理な芸当だった。その点、建物の中にコインランドリーや浴場があり、ちゃんと脚を伸ばして眠ることができ、荷物も置きっぱなしOKのカプセルホテルが長い目で見た場合はベストだった。

カプセルホテルの部屋は二段式で、部屋の広さは奥行きが二メートル、高さと幅は一メートルほどで、出入り口はロールカーテンで仕切られ、天井の角に備え付けのテレビがあり、ラジオとアラームも設置されていた。ロッカーもあるが、小さすぎてキャリーバッグは入らなかった。キャリーバッグは部屋に置きっぱなしにして、現金、通帳、身分証、携帯電話などの貴重品はウエストポーチに入れたまま肌身離さず持ち歩いた。夜は他の客の鼾《いびき》がうるさかったが、ネットカフェほど気にはならなかった。ウォークマンのイヤフォンを耳栓代わりにして眠った。塒をキープすると気持ちにも余裕ができた。

早起きが習慣になっていたのか、毎朝五時には自然に眼が覚めた。

洗面所へ行って歯を磨き、顔を洗い、洗顔フォームの泡を利用してそのまま髭を剃った。

いざ〝自由〟を与えられてしまうと、何をしていいのかわからなくなる。選択肢が増えすぎると逆に何も選べなくなる〝決定回避の法則〟だ。「山谷ブルース」を歌った岡林信康によれば「自由っていうのは空に浮かんでる凧《たこ》」らしい。

糸を切れば自由になれるか？　糸で地上に繋がれているからこそ空を飛べるのであって、その糸を切ってしまうと落ちるしかない。自由とはそういうものだ、と。〝神様〟の至言だ。

環境が変わっても、仕事をしていないことを別にすれば、大まかな生活スタイルはそれほど変わらなかった。僕はとにかく〝変化〟を嫌う。

朝早くに起き、弁当屋で弁当を買って公園のベンチで食べ、ぷらぷらと散歩して、本屋や図書館などで涼みながら時間を潰《つぶ》す。夕方宿に戻り、入浴と洗濯を済ませる。

夏の暑い盛りで、脳が溶けそうだった。公園では下着姿のホームレスたちが、トイレの水道から洗面器で水を汲み、頭からかぶっていた。気持ちよさそうだなぁとは思ったが、さすがにあそこまではできない。

涼みに入った本屋で古谷実の『シガテラ』の最終巻、第6巻の単行本を買った。

僕は古谷実のデビュー以来のファンだった。『行け！稲中卓球部』は十四歳当時の僕のバイブルだった。勉強も運動もできない、何の取り柄もない「前野」や「井沢」が、自分たちの惨《みじ》めさを笑い飛ばす姿に当時の僕はどれほどカタルシスを感じたことか。

少年院を出てからは『ヒミズ』と『ヒメアノ〜ル』にハマった。

『ヒミズ』は救いようのない悲劇を描いている。主人公は川沿いの貸しボート小屋に暮らす中学三年生の十五歳の少年。ある日少年の母親が男と連れ立って失踪する。母親に見捨てられボート小屋に置き去りにされた少年の元に蒸発していた父親がお金をせびりにくる。どうやら少年は幼少の頃からその父親に辛い目に遭わされてきたらしい。自分の不幸はすべて父親が原因だと考えた少年はヤケを起こしコンクリートブロックで父親を殴り殺してしまう。父親の死体を埋め何もかもどうでもよくなってしまった少年は自分の命を少しでも〝意義あるもの〟にするため、映画『タクシー・ドライバー』のトラヴィス・ビックルよろしく「誰でもいいから悪い奴を探し出して殺そう」と思い立つ。でも適当な獲物が見つからないまま善き友人や恋人に囲まれて時が過ぎ、ある日意を決して恋人に父親を殺したことを打ち明ける。恋人に自首するよう勧められたが少年が断ったため恋人は警察に通報した。警察官がボート小屋にやってきて少年を連れて行こうとしたが、少年は明日必ず出頭しますと警察官と約束し、ひとまず帰ってもらう。少年はボート小屋で恋人と最後の夜を過ごし眠りにつく。夜中に眼が覚めた少年はボート小屋を抜け出し、以前ヤクザからもらった拳銃で自殺する。

僕はこの漫画を読んだ時、古谷実は本当は最初からこの作品を描きたかったのではないかと思った。『ヒミズ』は『稲中』とは正反対の世界観の作品であると受け取られることが多いが、僕は『ヒミズ』と『稲中』は〝根っこ〟の部分で繋がっているように思えてならない。おバカなギャグが満載の『稲中』の底流にあるのは〝弱者の喘《あえ》ぎ〟だ。『稲中』からは自らの醜さ惨めさを十二分に自覚し、ギャグにして笑い飛ばす以外に逃げ場がない虫螻《むしけら》たちの悲痛な叫び声が聴こえる。〝普通に生きたい〟と願えば願うほどそれとは裏腹な行動に出てしまう『ヒミズ』の少年からは、何とも言えない不思議な〝可笑《おか》しみ〟が漂う。〝喜劇〟は突き詰めれば〝悲劇〟になり、〝悲劇〟は突き詰めれば〝喜劇〟になるのかもしれない。

僕がいちばん好きな古谷作品『ヒメアノ〜ル』には、人を絞殺することに性的興奮を覚える異常性欲の殺人鬼「森田正一《もりたしょういち》」という強烈なキャラクターが登場する。森田は行き当たりばったりに殺人を犯し、まるでデタラメな証拠隠滅をして逃げ回るのだが、悪運が強くてなかなか捕まらない。

物語のラスト、それまで良心の呵責もなく衝動の赴《おもむ》くままに殺人を重ねてきた森田が自分の過去を回想する。

………
……何かね
………
……今
…急に思い出したよ…
……
…中学の時の帰りにさ……
………
オレは完全に…
〝フツーじゃない〟
って…
気づいた日の事………
…すげぇ
悔しかったよ……
マジで…
もう本当に悔しくて…

その場で死にたくなった……
泣いちゃったよ……

（古谷実『ヒメアノ～ル』6巻）

通学用の自転車を薙《な》ぎ倒し、学生鞄を放り投げ、抱えた両膝に頭を填《うず》めた森田が道路の端に胎児のような格好で蹲《うずくま》っている。背景には長閑《のどか》な田んぼや山々の風景が描かれ、森田の棲《す》む〝こちら側〟の世界と彼が永久に触れられない〝あちら側〟の世界をガードレールが無情に隔てている。

――あの頃の自分だ――

そう思った。漫画を読んで泣いたのはこの時が初めてだった。

森田は、僕と、大阪姉妹刺殺事件を起こした山地悠紀夫を合体させたようなキャラクターだ。僕の「性サディズム障害」と、山地悠紀夫の抱えていた人格障害のふたつの要素を併せ持っている。

山地悠紀夫は僕のひとつ歳下で、僕が事件を起こした三年後に、自分の母親を金属バットで殴り殺し、少年院に収容された。初犯は十六歳だった。

在院中、明らかに他の少年たちとは異質な山地の精神的特性を嗅ぎ取った少年院スタッフの配慮で、山地は精神科医の診察を受け、「広汎性発達障害の疑い」という診断を下された。

この障害を抱える人は、相手の仕草や表情から心情を汲み取ることが極度に苦手で、言葉の表層部分でしかコミュニケーションがとれず、その場の雰囲気に合った言動を取ることができないという特徴があり、集団の中で孤立しやすい。また、〝アイコンタクト〟が不得手で、他人とまったく視線を合わせないか、逆に相手が気持ち悪く感じるほど、物を見るような眼で相手の顔をじっと見つめたりする。こういったコミュニケーションの特異性から、彼らはしばしば学校でいじめの対象になることがある。

ある程度の実践を踏んだ専門家であれば一目瞭然であるが、この広汎性発達障害は、精神遅滞や統合失調などと比べて見た目には定型発達者（健常者）と区別がつきにくく、問題視されにくい。

山地は二〇〇三年十月、二十歳で少年院を仮退院する。この時、少年院で山地を診察した精神科医は、山地の抱える障害の深刻さを危惧し、外部の医療機関宛てに紹介状を書いて山地に渡し、どこでも構わないから自分で精神科を受診するようにとアドバイスした。だが結局、山地が自分から精神科を受診することはなかった。

十一歳で父親を病気で亡くし、十六歳で母親を手にかけ、身元引受人のいなかった山地は更生保護施設に入り、パチンコ店に住み込みで就職するが、どの職場でも人間関係をうまく構築できずに店を転々とする。やがて知人の紹介で、パチスロ機の不正操作で出玉を獲得する「ゴト師」のメンバーに加わり、いいように使われることになる。僕には経験がないからなんとも言えないが、裏社会には裏社会特有のコミュニケーションスキルが要求されるのではないかと思う。いつ捕まるかわからない、危険と隣り合わせの毎日。一瞬の気の緩みが即破滅へとつながる。常に周囲の状況を見極め、仲間の性格や心情も把握し、瞬時に適切な判断を下しリスクを回避しなければならない。コミュニケーション能力や状況判断能力に著しい欠陥を抱えた山地にできる芸当ではない。要領の悪い彼はパチスロ店で店員に不正操作を見抜かれ、一度逮捕されてしまう。

山地はゴト師の世界でも上手く周囲に馴染めず、グループのリーダーと諍《いさか》いを起こし、ゴト師メンバーがアジトとして使用していたマンションの一室を飛び出して野宿生活を送る。その三日後、二〇〇五年十一月十七日、山地は自分が身を寄せていたマンションの別のフロアに住む二人の女性をナイフで襲い、暴行して金品を奪った挙げ句、部屋に火を放って逃走した。いわゆる「大阪姉妹刺殺事件」である。少年院を仮退院してからわずか二年後の犯行だった。

二〇〇九年七月二十八日。大阪拘置所で山地悠紀夫の死刑が執行される。享年二十五だった。

この事件は、その犯行の際立った残虐性や、山地が逮捕時に見せた不敵な微笑みや自ら死刑を望む発言、少年時代の殺人の前科などから、当時かなりセンセーショナルに報じられた。僕が少年院を出た翌年に起こった事件でもあり、山地が少年時代に殺人を犯していたことから、僕の事件も頻繁に引き合いに出された。

僕は他の人間が犯した殺人についてとやかく言える立場ではない。山地悠紀夫本人に直接会ったわけではないから、本当には彼のことはわからない、彼の犯行にシンパシーを覚えることもない。

僕が彼に何か引っ掛かるものを感じたのは、犯した罪の内容や少年時代の殺人のためではない。一審で死刑判決を受けたあと、彼が弁護士に宛てて書いた手紙に、胸が締め付けられたからだ。


私の考えは、変わりがありません。

「上告・上訴は取り下げます。」

この意志は変える事がありません。

判決が決定されて、あと何ケ月、何年生きるのか私は知りませんが、私が今思う事はただ一つ、「私は生まれて来るべきではなかった」という事です。今回、前回の事件を起こす起こさないではなく、「生」そのものが、あるべきではなかった、と思っております。

いろいろとご迷惑をお掛けして申し訳ございません。

さようなら。

（池谷孝司『死刑でいいです』）

あまりにも完璧に自己完結し、完膚なきまでに世界を峻拒《しゅんきょ》している。他者が入り込む隙など微塵もない。まるで、事件当時の自分を見ているような気がした。

山地は逮捕後、いっさい後悔や謝罪の言葉を口にしなかった。そればかりか、「人を殺すのが楽しい」「殺人をしている時はジェットコースターに乗っているようだった」などとのたまっていた。僕には彼が、ひとりでも多くの人に憎まれよう憎まれようと、必死にモンスターを演じているように見えた。誰にも傷つけられないように、自分のまともさや弱さを覆い隠し、過剰に露悪的になっているその姿は、とても痛々しく、憐れに思えた。

現代はコミュニケーション至上主義社会だ。なんでもかんでもコミュニケーション、1にコミュニケーション2にコミュニケーション、3，4がなくて5にコミュニケーション、猫も杓子もコミュニケーション。まさに「コミュニケーション戦争の時代」である。これは大袈裟な話ではなく、今この日本社会でコミュニケーション能力のない人間に生きる権利は認められない。人と繋がることができない人間は〝人間〟とは見做されない。コミュニケーション能力を持たずに社会に出て行くことは、銃弾が飛び交う戦場に丸腰の素っ裸で放り出されるようなものだ。誰もがこのコミュニケーションの戦場で、自分の生存圏を獲得することに躍起になっている。「障害」や「能力のなさ」など考慮する者はいない。

山地はどこに行ってもゴミのように扱われ、害虫のように駆除され、見世物小屋のフリークスのようにゲラゲラ嗤《わら》われてきたのだろう。彼は彼なりに必死に適応しようと努力したのではないだろうか。〃魚が陸で生きるため〃の努力を。

山地が逮捕時に見せた微笑み。僕には、彼のあの微笑みの意味がわかる気がした。それは言葉で解釈できる次元のものではない。もっと生理的に触知する種類のものだ。

あの微笑み……。

あれほど絶望した人間の顔を、僕は見たことがなかった。

自分の話に戻ろう。

あまりの暑さに耐え切れず、カプセルホテルの部屋ではいつも下着姿で過ごした。秋になり、ちょっと涼しくなってきたかな、と思うと、あっという間に寒くなった。

こういった環境では冬の寒さのほうが夏の暑さより何倍もキツい。一応部屋にはエアコンも付いていたが、設備が古く、ほとんど効かない。

僕はジャンパー、手袋、マフラー、ニットを買い、夜はそれら全てを着用したまま布団に入った。

食費を節約するためにカップラーメンを大量に買い込み、ホテルのロッカーの中にぎっしり詰め込んだ。朝起きると百円ショップで買った「My箸」を持ってロッカーへ行き、休憩所のポットでお湯を注いで作り、食べ終えたら歯磨き洗面髭剃りを済ませる。防寒具を着込んでフロントへ行き、その日の料金を支払う。連泊する場合も一泊ごとに支払い手続きをするシステムだった。外へ出て、図書館が開く時間までコンビニをハシゴしながら時間を潰す。

時間になると図書館へ行き、閉館まで居座る。明らかにホームレスだとわかる身なりのおじさんたちの姿もちらほら見えた。やっぱりみんな考えることは同じなんだなと思った。夕方、図書館が閉まるとホテルへ戻り、入浴セットを持って浴場へ行き、湯に浸《つ》かって身体を温め、風呂から出ると夜食のカップラーメンを食べ、歯を磨いて布団に飛び込む。寒気が身体に沁み込む前に眠りにつく。

寒さは日に日に厳しさを増した。所持金が五十万を切ると、求人誌やネットカフェの求人サイトで、住み込みで働ける仕事を探した。健康な身体と年金手帳、通帳、印鑑、携帯電話の五点セットさえ揃っていれば、選り好みしなければいくらでも仕事はあった。

年の暮れ、寒さがピークを迎える頃、寮付きの建設会社の採用が決まり、僕は〝穴蔵《あなぐら》〟を出た。

採用が決まったとは言っても、会社はすぐに冬休みに入り、実際に仕事が始まるのは年明けからだった。雇用形態は契約社員で、三か月ごとに契約を更新する。給料は手取りで月十七万。寮費は最初の一か月は無料、翌月からは毎月光熱費込みで一万五千円ずつ給料から天引きされる。部屋は絨毯敷きのきれいなワンルームで、エアコンもあり、キッチンも付いていた。風呂とトイレは共用だった。

寮の中に大型テレビの据え置きされた休憩スペースがあり、部屋の角の本棚には漫画や雑誌が並び、本棚のすぐ横のガラス戸付きのスチール棚にはトランプや将棋やオセロやモノポリーなどが置かれていた。

本棚に並ぶ漫画や雑誌類は寮の入居者たちが置いていったもので、漫画は『がきデカ』や『ドカベン』や『はだしのゲン』など一昔前のものから、ジャンプやマガジンまであり、雑誌類はパチスロの攻略本・麻雀・風俗情報誌・車やバイク関連のものなどが多かった。

〝寮付き〟という条件の会社にはありがちなことだが、やはりガラの悪い入居者が多かった。服役体験を聞こえよがしに自慢するおじさんもいた。

ある日僕が休憩所のソファーに座って漫画を読んでいると、テレビの前で二人の若い男性が、勝手にチャンネルを替えたの替えないだのでいきなり取っ組み合いの喧嘩を始めた。騒ぎを聞いて駆けつけた、お笑い芸人の小籔千豊似の若い管理人が仲裁に入り、お互いの言い分を聞いて、最後は仲直りの握手をさせた。

大の男がそんな理由で喧嘩になるなんて……。僕は呆れ返った。

冬休みが終わると仕事が始まった。

新しい仕事は前の仕事とはうって変わって肉体労働だった。主な仕事内容は解体工事。会社から支給された防塵マスク、ヘルメット、安全靴を着用し、朝早くに各班に分かれてバンに乗り、担当の現場に向かう。病院、ボーリング場、カラオケボックス、寺社から普通の家屋まで、重機や大ハンマー、バール、ツルハシを使って取り壊す。最初の一か月は見習い期間で、ベテランが解体した鉄屑や瓦礫を一輪車に載せてトラックの荷台に運ぶ雑用をこなし、慣れてくると工具を使用して解体作業を任された。これまで使ったことのない筋肉を酷使し、力任せに作業したせいか、解体作業を始めた最初の頃は肩や腰が痛くて、寮に帰って風呂に入ると夕食も摂《と》らずに寝てしまった。

三か月ほど経つと、力の〝入れ所〟と〝抜き所〟がわかるようになり、工具の扱いにも慣れ、あとは持ち前の作業性の高さで無理なくテキパキとスムーズに仕事をこなせるようになった。

身体だけが資本だった。起床後と就寝前に腕立て伏せ、腹筋、背筋をそれぞれ百回ずつやり、休日はずっとサボっていたジョギングを再開した。

ベルーガ鯨のようにナマっ白《ちろ》かった皮膚は真っ黒に日焼けし、身体つきも変わった。洗面所の鏡に向かうと、蒼白く貧弱な「少年A」の痕跡がすっかり消えていた。そのことに、安堵と同時に自分でも説明のつかない一抹の寂しさを感じた。

職場ではほとんど誰とも口をきかず、寮の入居者たちともいっさい交流しなかった。仕事現場には携帯は持っていかず、自分からは絶対に人に話しかけないというルールを作った。他人と繋がりを持ちたがるのは弱い奴らのすることだと自分に言い聞かせ、「犀《さい》の角のようにただ独り歩め」という仏陀《ブッダ》の言葉を地《ぢ》で行くように徹底的に〝独り〟であることにこだわった。

こういう環境のメリットは、ワケありな人が多いせいか、誰も強いて干渉してこないところだ。みんな自分のことだけでいっぱいいっぱいだった。

僕はここでも普段からほとんどお金を使わなかった。外出を控え、余計な買い物もしない。いざという時、頼れるのはお金しかなかった。職場で少しでも変な噂がたてば、確信を持たれる前に退職し、しばらく身を隠して、次の仕事を探すつもりだった。一度でも顔や名前が新聞や週刊誌やネットに出れば、もうこの社会のどこにも自分の居場所はなくなってしまう。

自由ではあるが、いざという時に頼れる人はいない。自分の身は自分で守るしかなかった。僕が頼れるのは、生活を切り詰めて貯めたお金しかなかった。〝金にがめつい関西人〟の悲しき性《さが》も相俟《あいま》ってか、僕は脅迫的にお金に執着するようになった。

この頃僕はペーパークラフトにハマっていた。仕事を終え、バンに乗って寮に帰ると、入浴を済ませ、そそくさと部屋に戻り、押入れの奥から作りかけのペーパークラフト作品を取り出し、カッターマットの敷かれた机の上に置いて、制作を始めた。

テレビチャンピオンで見た「ペーパークラフト王選手権」に影響され、僕も我流でペーパークラフト作品を作るようになった。「ペーパークラフト王選手権」で三連覇を達成し見事殿堂入りを果たしたペーパークラフト・イラストレーターの大熊光男さんの作品が僕は大好きだった。ロボットやバイクなどのメカ類を細部に至るまで作り込んだ彼の作品は、その精巧さにもかかわらず不思議と情緒的なぬくもりがある。一度彼のギャラリー&ショップ「P-BOX《ピーボックス》」を尋ねたことがある。僕は普段は出不精のくせに、興味のあることとなるとやたらアクティブになる。P-BOXは、あたたかみのある小さな木造ロッジを改装して造られたお店で、「あぁ、ここからあの作品群が生まれてるんだな」と、妙に納得した。応対した大熊さんは、テレビで見たとおりの穏やかで優しそうな、いかにもカンジのいいおじさんで、Tシャツの上にチェックのシャツを羽織ったラフな格好で店番をしていた。ぼっこり突き出たお腹にも愛嬌があった。

薄暗い店内の壁際の作品棚には、あの愛らしい彼の作品たち《こども》がズラリと並んでいた。驚いたのは、実物の作品の意外な〝大きさ〟と、紙でできているなんてとても信じられない〝重量感〟だ。マーメイド紙という、表面に小さな凹凸処理の施された紙と速乾性木工用ボンドで作るのだという。なるほど、彼の作品独特の柔らかで温か味のある雰囲気は、表面に施された凹凸によって光を吸収するこのマーメイド紙特有の風合いに由来していたのだ。

僕のやり方は、五ミリ方眼紙にフリーハンドで展開図を描き、デザインカッターで切り抜いて、アロンアルファや細かく切ったセロテープでくっつけながら立体物を造形する。最初は簡単なものしかできなかったが、徐々に上達し、複雑な形状の作品も作れるようになった。ミケランジェロのピエタや中宮寺の弥勒菩薩像を簡略化してペーパークラフトで再現したり、ナメクジや胎児、天使像などを作った。凝りに凝ってしまうため、ピンポン球サイズの作品をひとつ完成させるのに一、二か月はかかった。

天使像は特にお気に入りのモチーフで、連作で何体も制作した。髪の毛や睫毛など細部に至るまで徹底的に作り込んだ。おおよその形が出来上がると、最後にT字カミソリの刃を抜き取って、細かな部分をほんの少し削って修正する。この仕上げの作業が、鳥肌が立つほど気持ちよかった。何日も何日もかけて、僕の手の中に、天使の聖《きよ》らかな姿が立ち現れる。

会社に入って一年目の冬休みの前日、自身のペーパークラフト作品の中ではいちばん完成度の高い天使像ができた。部屋の電気を消し、カーテンを開け、月光の照明だけでしばらく紙の天使像と対峙した。急に風に当たりたくなり、僕は天使像をウェストポーチに入れ、外に出た。酒盛りでもしているのか、寮の部屋のあちこちから賑やかな笑い声が漏れていた。

寮の敷地を出て、コンビニの前を通った時、会社の若い連中が四人、缶ビールを飲みながらたむろしていた。彼らの前を通り過ぎ、よくひとりで物思いに耽っていた近所の公園へ行き、ベンチに座った。ウェストポーチから取り出した小さな天使像を掌に載せ、月明かりの下で三百六十度くるくるまわしながら、つぶさに眺めた。糸のように細く細く切った紙を幾重にも貼りつけて表した天使の髪に触れ、その小さな眼や鼻や口を、小指の先でそっと撫《な》でた。

いくぶん青みがかった冬の満月が高く昇り、月の光も凍ってしまいそうな寒い夜だった。つららのような月光が、僕を貫いていた。

流転（二〇〇八年一月～二〇〇九年六月頃）

建設会社に入って二年経ち、仕事にもすっかり慣れた頃、寮の入居者が増えたため勤務態度が良好で仕事も続いている者は社員寮に移ることになった。それまでと同じ寮費で、社員の人たちが使っている1DKの部屋を使わせてもらえたのだ。

僕は初めてパソコンを買い、インターネットを始め、テレビ、ビデオデッキ、ソファー、テーブル、本棚を買い揃え、休日に快適に引き籠もれる空間を作った。

身体はキツかったが、他人と接点を持たなかったので人間関係に煩《わずら》わされることもなく、手取の給料は社員よりも多く、好きなことに没頭できる時間も確保できる。何の不満もない生活だった。ずっとこんな生活が続けばいいと思った。でもこんな分不相応な夢のような暮らしは長くは続かなかった。ささやかな自由を謳歌していたこの頃、世の中はリーマンショックによる不況の嵐の真っ只中だった。

二〇〇九年六月。僕は会社から突然解雇通知を言い渡された。一か月後に「自主退社」という形で退職してもらうということだった。

それ以前から〝兆《きざ》し〟はあった。僕の勤める会社でも高齢者や仕事ができない者、対人関係に問題がある者が次々と切られていた。でも僕はまったく暢気《のんき》で危機感を持っておらず、突然解雇を言い渡された時にはさすがにショックを受けた。

僕はキャリーバッグひとつとパソコンを持って会社を去った。それなりに出費はしていたつもりだったが、貯金は百万を超えていた。この時もまたお金に救われた。

振り出しに戻ったならまだいいが、今度は前回のように簡単に条件のいい仕事にはありつけなかった。まさに流転の日々だった。様々な仕事を転々としながら根無し草のような生活を送った。この時期の記憶は断片的にしか残っていない。おそらくストレス性の健忘ではないかと思う。僕は過度にストレスがかかるとしばしば記憶がトンでしまうことがある。

ある職場では『北斗の拳』に出てくる〝ハート〟そっくりな巨漢の外国人にカタコトで仕事の指示を出され、意味が汲み取れずに訊き返すといきなり顔面に工具を投げつけられた。咄嗟《とっさ》によけたがおでこに掠《かす》り、たんこぶになった。

また別の職場では、ホイストで吊るされた鋼材が落下して僕のすぐ隣で作業していた若い男の子の右足の甲を直撃した。男の子は人間とは思えないような凄まじい悲鳴を挙げ、仰向けに倒れ込んで右に左に身体を捻《ねじ》ってジタバタ暴れながら声帯が割れるような大声で泣き叫んだ。僕はびっくりしてしまって少しパニックになり、助けを呼ぶこともできずに腰を抜かしてその場にへたり込んだ。しばらくすると数人の同僚が駆けつけ、男の子を抱き起こそうとしたが、男の子は激痛の余りほとんど正気を失い、泣き喚きながら、近付いた同僚の頬を引っ掻いた。同僚は男の子に二回平手打ちを喰らわせ、男の子は少し静かになり、そのままその数人の同僚に担がれて一旦休憩所に移され、すぐに救急車が呼ばれて病院へ運ばれた。休み時間になると、まだ男の子の血が床にこびり付いた休憩室で、ついさっき男の子を担いでいった数人の同僚たちが、笑いながら、

「あのガキ、労災いくら貰えんだろな？」

「なにげにオイシイっすよねぇ」

と冗談交じりに話した。彼らだって同じ境遇であるのに、どうしてそんなことが言えるのか、信じられない気持ちだった。

こんなこともあった。とある会社で四人ひと組で部屋を契約させられた。ある日同室のひとりと一緒に夜勤からあがって部屋に戻ると、勤務時間帯の違うガラの悪いあとの二人

が部屋の真ん中のテーブルに向かい合って座り、ゲラゲラと楽しそうに笑っていた。テーブルの上には水の入ったペットボトルが置かれ、ペットボトルのキャップには管の長い金属製のジョウゴが取り付けられ、ボトルの上部側面には短く切ったストローが挿《さ》し込まれガムテープで固定されていた。二人はそのストローから交互に煙を吸い込んでは吐き出し、明らかに煙草とは異質な甘ったるい匂いの煙が部屋いっぱいに充満していた。彼らは僕ともうひとりに気が付くと、ペットボトルを持って立ち上がり、ふらふらよろめきながらこちらへ近付いた。

「お疲れぇ〜っす。ま、ま、どぞどぞ、景気づけに一服」

僕は全身が強張《こわば》った。いくら社会経験が乏しいとは言っても、彼らが吸っていたのがナニかぐらいはわかる。僕と一緒に帰ってきた気の弱そうな彼は勧められるままに恐る恐るストローを口に咥《くわ》え、煙を吸い込んだ。僕の顔の前にもペットボトルがまわってくる。

「いいです。僕は」

僕はこちらに向けられたストローを掌でシャットアウトした。

「いやいや、俺ら仲間じゃないっすか？　ねっ、友情の証ですよ、友情。ほら」

ふざけるな。そんなことしてもし捕まったら、僕は終わりだ。

僕は回れ右して外へ出た。近くの公園で一時間ほど頭を冷やし、再び部屋へ戻ると、ガンガンに音楽を鳴り響かせて、さっきマリファナを初体験したばかりの彼が全裸になって踊り、あとのヤンキー崩れの二人は手を叩いてバカ笑いしていた。

この一件から同室の連中との関係がギクシャクし始め、僕は居辛くなってそこから逃げた。

百年に一度の大不況。劣悪な労働環境。一寸先も見えない不安定な暮らし。〝自分は虐げられている〟という被害妄想。世間や他人や自分の無力さに対する言いようのない怒りに駆られ、日に日に僕の精神は化膿した。

この時期の唯一の楽しみは「コラージュ」だった。レンタルショップや本屋の入り口にあるマガジンラックに並んだ無料のチラシや広告、音楽情報誌やファッション通販のカタログを手当たり次第にどっさり持ち帰り、人物や動物や風景の写真を鋏で切り抜き、スティック糊でボール紙にペタペタ貼り付けて遊んだ。アナログの合成写真だ。

〝コラージュ療法〟という言葉もあるくらい、このシンプルな作業には、無意識化に潜《ひそ》む衝動や欲求を顕在化させ、メタ認知を促し、自己治癒の効果もある。精神科の治療でもしばしば導入される。

バオバブの樹の写真に大小無数の人物の顔を切り抜いて貼り付けた「顔の成る木」や、全身が写った男性と女性の写真をそれぞれ縦に真っ二つに切って張り合わせた、『マジンガーZ』の〝あしゅら男爵〟擬《もど》きの半男半女のキャラクター、人体をパーツごとにたくさん切り抜いて組み合わせた千手観音や十一面観音（らしきモノ）、文字や衣服、企業のロゴマークを切り抜いて幾何学的に配置した曼荼羅などを、僕は時間が経つのも忘れて夢中で作った。コラージュに没頭する時間だけは余計なことを何も考えずに済んだ。

居場所（二〇〇九年九月〜二〇一二年十二月）

状況は悪化する一方だった。日雇い労働を転々としても埒《らち》があかない。今のままでは一生この犬小屋発豚小屋行きの負のスパイラルからは抜け出せない。

ちゃんとした仕事に就くために使える自分の武器は、少年院で習得した溶接技術しか「溶接関係の仕事にだけは絶対に就くまい」と心に決めていた。「少年院で取った資格」の恩恵を受けるのはプライドが許さなかった。それだと自分の力で居場所を作ったことにはならないと思ったからだ。でももうそんな悠長なことを言っていられる場合じゃなかった。資金も底をつき、追い詰められた僕は肚《はら》を括《くく》った。使える武器は何でも使って、正真正銘の社会人にならなければ、野垂れ死ぬのは時間の問題だった。背に腹は代えられない。

一泊二千五百円の簡易宿泊所に寝泊まりしながら、そこを拠点に溶接工募集の求人に片っ端から応募し、人生で二度目の就職活動に専念した。

「残業は断りません」

「仕事がない時でも、給料が出なくても会社に行って掃除でも何でもやります」

「遅刻したらその場でクビにして下さい」

必死だった。恥もプライドもかなぐり捨て、とにかくやる気を伝えた。

運良く三社目で採用が決まり、僕は溶接工として働くことになった。

身寄りもなく、住所もなく、素性も曖昧な僕を雇い入れてくれたこの会社の社長には、今でも恩義を感じている。

仕事内容は繊維機械部品の溶接だった。服やカーテンなどに使う糸を作る「紡糸機《ぼうしき》」や布を織る「織機《しょっき》」と呼ばれる機械の部品やカバーなどを溶接する。

使用する機械は「半自動アーク溶接機」「TIG《ティグ》溶接機」「被覆アーク溶接機」だった。三種類とも、以前少年院で資格を取得した。

半自動アーク溶接機は、ガソリンスタンドの給油ノズルのような形状の「トーチ」と呼ばれる把手部から、溶接ワイヤと酸化を防ぐための炭酸ガスを同時に送給し、トリガーを引くと自動で送り出されるワイヤを母材（溶接する材料）に当て、ワイヤと母材間に発生させたアーク光の熱で金属を溶融・接着する。溶接の仕事ではこれがいちばん早いが、適正な電流・トーチ角度・運行速度で作業しなければ、溶接の止端《したん》で母材が抉《えぐ》れてしまったり（アンダーカット）、溶け合わなかったり（オーバーカット）する。

TIG溶接機は、アルミやステンレスなどの非鉄金属材料の溶接に使用する。ノズルの先端に取り付けたタングステン電極と母材の間にアーク放電し、母材が溶けたところへ、母材と同じ材質の溶接棒をハンダ付けのように一定間隔でつぎ足していく。なお酸化を防ぐためのシールドガスは、ＴＩＧ溶接の場合はアルゴン、ヘリウムなどを使用する。ＴＩＧ溶接は半自動溶接と比べ溶接速度は遅いが、どんな姿勢でも溶接可能で、外観も美しい。僕はこのＴＩＧ溶接がいちばん得意だった。

被覆アーク溶接（手溶接とも言う）は、フラックスという酸化防止剤で被覆した溶接棒を、ホルダと呼ばれる洗濯バサミのような形状の把手部に挟み、溶接棒と母材の間にアークを発生させて溶接する。溶接の熱で溶けたフラックスは分解されてシールドガスに変わり、溶接部を酸化から保護する。風に強く小回りも効くため、屋外での溶接に良く使われる。

溶接の火花と格闘する日々が始まった。

昔取った杵柄《きねづか》でもあり、溶接の腕はみるみる上達した。やると決めたら手を抜かず徹底的にやり切るのが僕の基本機能《ベーシック・ファンクション》だ。手先の器用さと集中力だけが頼りだった。眼前の作業に打ち込むと周りが見えなくなる。相変わらず周囲の者とは挨拶以外の会話を交わさなかった。

アーク光には強烈な紫外線が含まれるため、皮膚を保護する防護面を被り、溶接時に発生する、熱で溶けた金属の飛沫（スパッタ）で火傷しないよう長袖《ながそで》服を着用して作業する。

夏場はさすがにキツかった。汗が眼に入って沁み、手元が狂うので、頭にタオルを巻き、脱水症状に陥らないよう、作業台の下に塩水を入れた二リットルのペットボトルを置いて、時折それを飲みながら水分と塩分を補給しつつ作業した。流した汗の量だけ身も心も軽くなり、心なしか自分が浄化されたように感じた。

僕は脅迫的に期限を守る性分で、納期が遅れそうになると休憩時間を返上して仕事をした。本当は防護面を取ってはならないが、急いでいる時はつい面倒になって溶接用の遮光眼鏡だけで作業した。すると顔面が真っ赤に腫《は》れ上がり、ひどい日焼けをしたように鼻の頭や頬骨の突起部の皮膚が剥《む》けた。長袖の作業服を着用してもスパッタを完全に防げるわけではない。仕事を終え、腕や脚に棘が刺さったような痛痒さを感じ、宿に戻って服を脱ぐと、溶接のスパッタが皮膚の中にめり込んだ状態で固まっていた。そのまま表皮が再生すると取り出せなくなると思い、ピンセットでひとつひとつ摘み出した。

挨拶以外にろくに会話もせず仕事に没頭したため、余り真面目に仕事をしない同僚たちから陰で嗤《わら》われたりもしたが、気にしなかった。何としてでもここで自分の居場所を作り、人生を立て直さなくてはならなかった。自分だって他の人たちと同じように、ちゃんと社会に適応してやっていけるのだと、他の誰でもない、自分自身に証明したかったった。

半年ほど経った頃、僕は簡易宿泊所を出てアパートを借り、晴れてひとり暮らしを始めた。仕事を教わった先輩が保証人になってくれたのだ。

生活の基盤を確保すると、僕は読書に熱中した。休みの日は部屋から一歩も出ず日がな一日、本を読み耽《ふけ》った。

取り憑《つ》かれたように読書にのめり込んだのは少年院時代以来だった。「少年Aは読書家」というイメージを持つ人もいるが、僕は元来本を読むのが好きなほうではなく、活字よりも漫画や映画といった視覚媒体のほうにより深く親しんでいた。読書の醍醐味を知り、本格的に読書にのめり込むようになったのは、少年院に入った後からだった。

関東医療少年院に入院した最初の頃、僕は他の収容少年たちから隔離され、ほとんどの時間を独房で過ごした。独房では、一分が一時間のように感じた。砂時計の中に閉じ込められたような気分だった。休みなく、朝と夜の砂時計は緩やかに反転し、容赦なく降り注ぐ透明な時間の砂が、僕を生き埋めにした。回し車で走り続けるハムスターのように、カラカラと虚しく時間を空転させる僕に、少年院のスタッフは「読書療法」という名目で本を差し入れた。ヘルマン・ヘッセ『車輪の下』、メルヴィル『白鯨』、ドストエフスキー『罪と罰』、ヴィクトル・ユーゴー『レ・ミゼラブル』、島崎藤村『破戒』、夏目漱石『三四郎』、森鴎外『青年』、坂口安吾『白痴』、武者小路実篤『友情』……。

他にやることもなく、僕は与えられた本を、一頁一頁、映画を撮るような感覚で映像を思い浮かべながら貪《むさぼ》り読んだ。

『車輪の下』のハンスとともに神学校に入学し、エリートコースから落ちこぼれ、川で溺れ死に、『罪と罰』のラスコーリニコフとともに罪を犯し、ソーニャに出逢い、改心して大地に接吻し、『白鯨』のエイハブ船長とともにピークォド号に乗り込み、背中に銛の突き立つ白いマッコウクジラ「モビィ・ディック」を追って大海原を駆け巡り、『レ・ミゼラブル』のジャン・ヴァルジャンとともに監獄から解き放たれ、ミリエル司教と出逢い真人間に生まれ変わり、改名し事業を興して成功し、市長になり、貧しい女工の娘コゼットを引き取り、革命運動に身を投じ、正体を暴かれ逃走し、ロマルメ通り七番地のアパルトマンで最愛のコゼットとその夫に看取られ息を引き取り、『破戒』の瀬川丑松とともに部落出身の自らの出自に悩みに悩んだ挙句、素性を打ち明けアメリカへ渡り、『三四郎』の小川三四郎とともに美禰子に振り回され、『青年』の小泉純一とともにれい子の〝謎の目〟の虜《とりこ》となり、『白痴』の伊沢とともに、瓜実顔《うりざね》の古風な人形のような美しい顔立ちの白痴女の髪を撫《な》で、『友情』の野島とともに杉子を想って胸を掻き毟り、めっちゃキッツイ言葉で完膚なきまでにフラれ撃沈した。人生で最も暗く深い奈落で、僕は読書の快楽を覚えた。

溶接工時代、まとめて読んだ作家は三島由紀夫と村上春樹だった。彼らの短編、長編を片っ端から買い揃えた。

三島由紀夫は〝言葉の宝石箱〟と評したくなるような初期の短編と、〝偏執狂浪漫譚《パラノイド》〟『金閣寺』が好きだった。

一九五〇年七月一日に発生した金閣寺放火事件をモデルに書かれた、文字通り日本文学の金字塔であるこの作品は余りに有名だ。吃音症を抱える〝宿命の児《ディスティニー・ボウズ》〟溝口が、美の象徴たる金閣寺に火を放つまでの精神の這い跡が、異様に硬直的でギクシャクした独特のナル文体で微に入り細を穿《うが》って炙《あぶ》り出される。溝口の抱える「吃音症」は僕の「性サディズム障害」に、そして溝口が起こした金閣寺放火事件は、僕の起こした事件に重なった。

優れた小説はたいてい誰が読んでも「これはまるで自分自身の物語だ」と思える。僕もよくある。でもこの金閣寺に限っては、比喩でも何でもなく、〝この僕の物語〟だと思った。『金閣寺』は僕の人生のバイブルになった。

村上春樹は短編か長編かで好みが分かれやすい作家だが、僕はどちらかというと短編派だ。いちばん好きなのは『トニー滝谷』。

売れっ子イラストレーターのトニー滝谷は、「まるで別の世界へと飛び立つ鳥が特別な風を身にまとうように」服を着こなす女性と恋に堕ち、結婚する。結婚後間もなく、彼女は不慮の事故に遭い、本当に「別の世界」へと飛び立つ。喪失感に耐えられなくなったトニー滝谷は、アシスタントという名目で、死んだ妻と服や靴のサイズがまったく同じ女性を雇い入れ、彼女に、勤務中は妻の服を着用するよう要求する。アシスタントの女性は了承し、まず奥さんの服を試着させて下さいとトニー滝谷に申し出る。トニー滝谷は女性を妻の衣裳部屋に案内する。女性はそこにある服を試着し、靴も履いた。まるで自分のために作られたように服も靴もサイズがぴったりだった。次の瞬間、女性はわけもわからず泣き始める。あとからあとから涙が流れて止まらなくなる。このシーンは何度読んでも、鼻の奥がジュワっと熱くなる。寂寥《せきりょう》の嘴《くちばし》が僕の臓腑を容赦なく啄《ついば》み、何も考えられなくなり、あまりの切なさに一瞬、死にたくなる。余計な説明はいっさい省き、雰囲気だけで「人を喪うってこういうことなのか……」と生理的に触知させ、極限の孤独をポップに描き切った唯一無二の傑作だ。

作家は言葉を刃物にして素材を捌《さば》く料理人のようなもの。村上春樹はメスのように冷たく鋭い無機的な言葉で、なまなましい心理を抉《えぐ》り取る。複雑怪奇な人間の精神を切開し、丁寧に、正確に腑分けしてゆく。何も強要せず読み手に委《ゆだ》ねるしなやかな文体は、地震に見舞われても右へ左へゆらゆらとしなりながら振動を吸収する五重塔《ごじゅうのとう》を思わせる。

三島由紀夫は日本刀のように鍛造された華美な言葉を用い、ごビョーキとしか思えない執念で素材をミリ単位で輪切りにし、そのおびただしい事物の断面に特製の観念をサンドして、一口で胃がもたれるカロリーたっぷり三島バーガーをこしらえる。不動の信念と価値観で地盤からしっかり固められた堅牢な文体構造は、いかなる天変地異にもビクともしないピラミッドを思わせる。

文章に「関節技」と「打撃技」があるとするならば、軽いジャブを放つように些細な日常の描写から入り、じわりじわりと読み手との間合いを詰め、絶妙のタイミングでタックルし、読み手の懐にスルっと入ってテイクダウンを奪う村上春樹は「関節技」の書き手だ。一度テイクダウンを奪われた読み手は、どんなにジタバタ抵抗しても逃げられない。あれよあれよという間に腕の関節をキメられ、足の関節をキメられ、最後はシュルッと首に腕を絡められてオトされる。

他の人が一行かけて書くところを一言で、一ページかけて書くところを一行で描破し、事物の核心に最短距離で斬り込む三島由紀夫は、「打撃技」の書き手だ。ゴングが鳴った途端いきなり飛び膝蹴りを繰り出し、息継ぐ間もない言葉のパンチラッシュで読み手を完全ノックアウトする。

読書にのめり込む傍ら、僕はこの時期から、自分の事件について本格的に〝勉強〟を始めた。自分について書かれた本を集め、新聞や雑誌記事なども事件当時のものにまで遡ってほとんどすべてに眼を通し、自分だけではなく他の少年犯罪についても調べた。

ゴールデンウィーク、盆休み、年末年始にはひとりでぶらぶらと旅行をした。まず真っ先に行ったのは、奈良だった。目的は「モナ・リザ」「スフィンクス」と並び、〝世界三大微笑〟のひとつに数えられる中宮寺の弥勒菩薩半跏思惟像《みろくぼさつはんかしいぞう》を見るためだ。すぐ隣の広隆寺にも同じポーズの仏像があるが、僕は断然、中宮寺派だ。いつかナマで見たいとずっと思っていた。「ものづくり」におけるクオリティは、ある一点を超えてしまうと〝人間の手の痕跡〟が完全に消えてしまうことがある。クリーチャーデザインのエポック・メイキング、H・R・ギーガーの「エイリアン」。この地球上でもっとも美しい無機物、ミケランジェロの「ピエタ」。中宮寺の弥勒菩薩半跏思惟像はその領域にいっている。もちろん、ゴッホやムンクなどの「手の痕跡」ゆえの〝美〟というものもある。どちらがいいと感じるかは本人の好みだ。

金閣寺や蓮華王院・三十三間堂の千手観音も見に行った。それからどういうわけか、自分が参加しなかった中学の修学旅行で皆が行った長崎市にも行った。

少年院の独房で僕は中学の卒業アルバムを見た。そのアルバムに掲載された、日本二十六聖人記念館の前にある「日本二十六聖人記念碑」をバックに生徒らがきっちり二十六人並んで（数を合わせるためだろうか、通行人らしき人たちも七人入っていた）合掌のポーズで写った写真が頭に焼き付き、自分もいつかあのモニュメントを見に行きたいと思った。

日本を代表する具象彫刻の第一人者・舟越保武の手になる「日本二十六聖人記念碑」の肉厚のブロンズのレリーフは圧巻だった。等身大の二十六人の聖者たちの像は皆一様に爪先が宙に浮き、〝殉教〟という言葉を見事にヴィジュアル化していた。絵に描いてしまえば楽なのに、敢えて立体で表現することによって生じるその視覚的圧力は凄まじかった。

小学生の頃、戦後日本具象彫刻を牽引した舟越保武と佐藤忠良の友情を描いたNHKのドキュメント番組をテレビで見たことがあった。舟越保武はその時半身不随で右手が使えず、車椅子に座ったまま左手で粘土にヘラを入れていた。佐藤忠良が雨のなか傘をさし、永遠のライバルである舟越保武の生み出したこの「日本二十六聖人記念碑」の前でぽつりと言った「残念だけど、〝かなわない〟ってカンジ?」という一言が印象的だった。二人は共に尊敬し合い、認め合い、深い絆で結ばれ、子供ながらに「友達っていいな」と思った。「日本二十六聖人記念碑」の前に立った時、子供の頃に見たそのテレビの映像を急に思い出し、胸が熱くなった。

でも今考えると不思議だ。僕は基本ひとところにじっとしていないと途端に情緒不安定になるのに、どうしてわざわざお金と時間を費やしてまで、自発的にあちこち旅行へ行ったりしたのだろう……。

僕は十四歳から二十一歳まで、社会から隔離されて過ごしたことに並々ならぬ劣等感を持っていた。普通の人たちが普通に経験するようなことを何も経験せず、普通の人たちが知っているようなことを何も知らない。僕なりにその〝喪われた時〟を取り戻そうと必死だったのかもしれない。もちろんこの当時はそんなことまるで意識しなかったが。

どんな仕事であっても大なり小なりストレスは生じる。いくら周囲と言葉を交わさなくとも(あるいはそれゆえに)トラブルは起こる。

ある日、ロット数の多い製品を他の従業員と手分けして担当することになった。ねじ切り加工された直径三センチ、長さ五センチほどの円筒型の部品を、指定の角度で五センチ四方の台座に溶接で固定する。完成すると大砲のような形状になる。掌サイズの大砲だ。作業自体は単純だが、数が二千個で、納期は二週間後だった。単純計算すれば週五日勤務で二人でやって一日百個は造らなくてはならない。僕は最初の一個だけ角度をきっちり測って造り、手早く量産できるようその完成品をもとに「治具」と呼ばれる、角度や寸法を固定するための器具を自分で造り、二個目からはその治具に〝大砲〟の筒と台座を嵌《は》め込んで作業した。このやり方はロット数の多い製品を造る際には常識中の常識だった。

ペアを組んだ相手は同年代で、斑《まだら》に汚く染めた茶髪の、見るからに軽薄そうな奴だった。来る日も来る日も同じ物を二人手分けして溶接し、僕のほうがノルマが早く済んだので、まだ終わっていなかった彼のところへ行き、

「こっち終わったんで、残ってる分いくつかやりますよ」

と、手伝いを申し出た。イヤミに聞こえたのか、茶髪は軽く舌打ちし、横に積まれた材料の籠を指差して、

「いちいち言わないでいいよ。そこにあんじゃん。勝手に持ってけよ。そりゃ休憩時間もやってんだから早いよな？　いくら働いても給料変わんねぇぞ。そういうの知らねえの？」

と言った。何と彼はひとつひとつ、いちいち角度を測ってはケガキ線を入れ、その線に

沿って部品を結合していた。わざと遅くやってるとしか思えなかった。

僕は無言で六箱のうち二箱を持って自分の作業台に戻った。

納期には間に合ったが、納品の翌日に取引先からクレームがきた。所属する部署のリーダーに、事務所の前に呼び出された。リーダーの後ろに隠れるように茶髪も立っていた。事務所入り口の脇には返品された八十サイズのプラスチック製の納品箱が山のように積まれていた。

リーダーは三十代後半。職場のチャランポランな連中とつるんで遊び回っている〝ボスザル〟で、茶髪はその取り巻きのひとりだった。

まだ簡易宿泊所から通っていた頃、仕事帰りにこのリーダーから、歓迎会も兼ねて飲みに行かないかと誘われた。僕はお金もないし飲めませんと言った。今日は奢るから来いと言われたが、僕は断って帰った。自分の輪に加わろうとしない僕を彼は毛嫌いした。仕事中、仲間たちと笑いながら聞こえよがしに「溶接キチガイ」などと僕を揶揄した。

リーダーは納品箱の中から返品された製品をひとつ取り出して僕の足元に投げて言った。

「それ、見てみ」

僕は足元の製品を拾った。それはもう「製品」とは呼べないようなひどい代物だった。アンダーカット、オーバーカット、ブローホール（穴）、スパッタの除去をやっていないものまであった。僕は一目見て自分がやったものではないとわかった。

「んなモン、売りもんになんねぇだろ」

「はい？」

「いや、〝はい〟じゃねぇよ。始末書書け」

始末書とは、不良品を出した者が原因・対策・反省点などを書く書類だ。

「何言ってるんですか？　僕じゃありません」

僕が反論するとリーダーは、

「スッ恍《とぼ》けんなよ、お前だよ。（後ろの茶髪を親指で指して）コイツ溶接うめぇもん」

と言った。さすがに頭にきた。

「僕がやったっていう証拠はあるんですか？」

「お前、何だよその態度は。証拠とかいらねぇよ。お前入ってどんくらいよ？　まだ二年も経ってねぇじゃん。コイツもう六年やってんだぞ。そんなゴミ造るわけねぇだろ」

溶接した部分には「ビード」と呼ばれる波目状の模様ができる。作業者のクセがそのビードに顕著に現れる。熟練者ほどビードが均一で美しい。僕の溶接の腕は部署の中でも評判だった。おそらくリーダーも本当はわかっていたはずだ。でもそんなことは関係ないのだろう。僕を呼び出した時点で、僕のせいにすることを決めていたのは明白だった。

結局、僕は認めず、茶髪と二人で社長室に呼ばれた。その製品を納品したのは新規の取引先で、もう取引はしないと言ってきたそうだ。不良品を出したのはどちらか不明だが、連帯責任ということで僕と茶髪は社長の運転する車に乗って先方の会社に行き、頭を下げて謝り、何とか事なきを得た。

会社に戻り、茶髪と二人で車から降りて仕事場へ戻る途中、社長が僕の肩にポンと手を置いた。僕と眼が合うと、社長は微笑み、小さく頷《うなず》いた。その社長の表情の意図を汲み取り、ついさっきまで爆発寸前だった怒りと屈辱感が嘘みたいに吹き飛んだ。

「ええか、A。何事も、一生懸命にやるんやぞ。ひとつのことでも一生懸命やっとったら、必ず誰かは見とるもんや」

少年院に面会に来た時、父親がよくそう言った。「一生懸命」。今の時代、真顔で口にしようものなら物笑いの種になりかねないこのシンプルな言葉が、父親の唯一の美学だった。誠実に、愚直に働いて生きてきた父親らしいこの言葉の意味が、実感としてわかった気がした。僕は以前にも増して仕事に打ち込んだ。


皮膚を厚くし、心の殻を固くし、日々をひとつまたひとつと規則正しく重ねていくのだ。俺はただの機械に過ぎない。有能で我慢強く無感覚な機械だ。一方の口から新しい時間を吸い込み、それを古い時間に換えてもう一方の口から吐き出す。存在すること、それ自体がその機械の存在事由なのだ。

（村上春樹『1Q84 BOOK3』）

仕事中、溶接の火花を見つめながら、半ばトランス状態で、僕は『1Q84 BOOK3』の影の主役、愛してやまない福助頭の怪探偵「牛河」のこのモノローグを、自分に暗示をかけるように小声で繰り返し繰り返し唱えながら、脳がパソコンの基盤に、心臓が発電機に、肺がエアーポンプに、血管が配線コードに変異していく様を、CG映像のように具体的にイメージした。すると精神に麻酔がかかり、本当に機械になったように、多少のストレスにさらされても何も感じなくなった。言葉は麻薬だと思った。

入社して二年が過ぎた頃、僕にも後輩ができた。ひとつ年下の出稼ぎの中国人だった。童顔で、少し中性的な顔立ちだった。

彼はカタコトだが、一通りの日本語は通じるし、性格も素直で、言われたことを言われたとおりにやってくれるので教えるのも苦にならなかった。性格も愛嬌があり、元気に挨拶して誰にでも明るく話しかけた。メモ帳を持ち歩き、初めて聞く日本語をそこに書き留めていた。ほとんどの同僚も彼に親切だったが、部署のリーダーとその取り巻きが、ひとつでも多く日本語を覚え、少しでも早く職場に溶け込もうと努力する彼に、下品な言葉を覚えさせて面白がっているのを知った時は、本当に殴り飛ばしたくなった。

後輩はひとつ下の弟と雰囲気が似ていた。僕の弟たちは今どうしているだろう……。彼と接するとよく二人の弟のことを思い出した。

少年院に初めて弟たちが面会に訪れた時のことを、僕は生涯忘れない。

二〇〇〇年八月。事件から三年目の夏。僕は十八歳、次男は十七歳、三男は十六歳だった。

僕は大きく深呼吸して、面会室の扉を叩いた。中へ入ると、父親と二人の弟がソファーに座っていた。

僕は弟たちの変わりように驚いた。

僕の家系では珍しくパッチリとした二重瞼《まぶた》で、肌のキメも細かく、髪の毛も細く茶色がかり、幼い頃はよく女の子に間違われた次男は、小麦色に日焼けし、中性的だった顔は彫りが深くなり、眼光は鋭く、上半身は完全な逆三角形で、Tシャツの袖から覗《のぞ》く二の腕は丸太のように太くがっちりしていた。その腕と、昔と変わらないピアニストのような細く繊細な指の対比が、たまらなく切なかった。苦難を乗り越えるために必死に努力したであろう姿が窺えた。

ぽっちゃりとした丸顔が印象的だった三男は、頬骨が張り出して精悍な顔つきになり、短髪の髪を整髪剤で立てていた。母親譲りの奥二重の優しい眼だけが昔のままだった。

その二人の佇《たたず》まいは、事件から三年間の日々を、彼らがどれほど苦しみ、小さな肩を寄せ合い、歯を喰い縛って耐え忍んで生き抜いたのかを、どんな言葉より雄弁に物語っていた。僕は強いショックを受け、愕然とした。罪悪感の万力がぎりぎりと僕の心を圧《お》し拉《ひし》いだ。

弟たちの前に座っても、僕は彼らの顔を正視できなかった。立ち合っていた教官に促され、僕は二人に向かってやっと口を開いた。

「久し振り」

二人はぎこちない笑顔で頷いた。それから僕はどう言葉を継いだらいいのかわからなくなり、何を思ったのか、いきなり少年院の日課や時間割について二人に話し始めた。何時に起きて、日中はどんなことをして、お風呂は週何回で、夜は何時に寝ているとか、そんなどうでもいいことを、僕は一方的にしゃべった。本当は、二人に会ったら真っ先に、ちゃんと謝るはずだった。それなのに、まるで別人のように逞《たくま》しく成長した二人の姿を見て、すっかり大人っぽくなった二人のその顔に、くっきりと濃く深く刻み込まれた苦悩の痕跡を見て、自分の知らないところで、二人がどれほど苦しみ抜いたのか、自分が施設の中でのうのうと守られているあいだ、二人はどれほどの痛みを乗り越えたのか、それをはっきりと眼の前に突きつけられ、二人にいったい何をどう謝ればいいのかわからなくなってしまい、混乱して、そんなどうでもいい話しかできなかった。

僕が話し終えると、次男は少し笑って、

「健康的やな」

と、ぽつりと言った。しばらく沈黙が流れ、今度は三男が、飲食店のアルバイトの話

——注文を取る時のコツなど——をした。僕は少年院の中では標準語を使い、父親や母親が面会に来た時以外は、まったく関西弁を使うことも聞くこともなかった。三男のコテの関西弁を聞きながら、

——こんなに訛り強かったっけ——

と、ぼんやり思った。

面会の終了時間が迫った頃、僕は意を決して、背筋を伸ばし、二人に向かって、

「僕のせいで、二人に辛い思いをさせてしまって、本当に済みませんでした」

と謝り、頭を下げた。恐る恐る顔を上げると、次男が口元を震わせ、必死に何かに耐えるように前屈みになり、やがてこらえきれなくなって、その場で声を押し殺して泣き崩れた。辛く苦しい、忌々しい記憶を思い出させてしまったのだと思う。

泣き崩れた次男の隣りで三男は、やっとの思いで、震える涙声でこう言った。

「Aを、恨んだことはない。今でも、Aが兄貴で、良かったと思っとる」

三男のその言葉に、胸が締め付けられた。僕が兄貴で良かったなんて、そんなはずはない。自分の友達の命を奪った僕に、なぜ三男はあんなに優しい言葉をかけたのだろう。なぜ、こんなにも苦しめた僕のことを、僕よりもずっとずっと苦しんだ三男が、気に懸けてくれるのだろう。

面会時間が終わって退室する時、僕はドアの前で振り返って、最後にもう一度二人に頭

を下げた。すると、泣き止んだ次男が、真っ赤に腫れた眼で僕の眼を見据え、頷きながら、右拳をぎゅっと握りしめて、

〝頑張れよ〟

というふうに、小さくガッツポーズをとった。それを見た僕は、こみ上げてくる感情を堰《せ》き止めるのがやっとだった。

房に戻され、扉が閉まると、僕はトイレに駆け込み、膝をつき、壁におでこをなすりつけ、二人の名前を声に出して呼びながら泣きじゃくった。冷たい壁に向かってではなく、どうしてちゃんと二人の前で、そうやって謝れなかったのだろう……。

そのあと、二人の弟への謝罪の気持ちを手紙に書いて出した。許してもらえるとは思わなかった。ただ、どうしても、弟たちに対して心の底から申し訳ないと思う気持ちを、二人にしたことへの後悔や反省を、拙い言葉でもはっきりと眼に見える形にして伝えなくてはならないと思った。

数週間後、二人から返事の手紙が届いた。次男は、自分が好きな漫画のことを書き、手紙の最後のほうには、

「俺もAも、絶対に抜け出せないと思っていたあの迷宮から抜け出した」

と書かれていた。僕はその言葉を眼にした時、次男が、こんなに彼を苦しめた僕と一緒に、苦しみ、共に闘ってくれていたのだという気がして、嬉しくて、申し訳なくて、涙が

止まらなかった。

小学校三、四年の頃、次男と近所の公園の砂場に遊びに行ったことがあった。原因はよく覚えていないが、そこへあとから来た、同じ小学校に通う上級生と僕が喧嘩になり、僕は砂場の中へ引き倒され、足蹴《あしげ》にされた。砂まみれになって無様に蹲《うずくま》る僕を、次男は砂場の端から見ていた。

上級生が公園から去ると、次男は僕の元へ駆け寄り、

「A、少林寺で強くなって、一緒にやり返そ。オレも頑張るから」

と言って励ましてくれた。この頃、次男は僕と一緒に少林寺の道場に通っていた。次男は眼に涙を溜めていた。人の痛みに敏感な、兄思いの、優しい弟だった。この時の彼の涙を思い出すと、切なさと罪悪感が胸を圧搾《あっさく》する。あれほど兄思いの、優しい弟の人生を、僕は滅茶苦茶にしてしまった。

次男があの迷宮から本当に抜け出してくれたのなら、僕はどんなに救われることだろう。でも僕のほうは、「あの迷宮」からは抜け出せない。僕は多分、一生抜け出せないと思うし、抜け出してはいけないとも思う。抜け出すのは辛い。弟たちにしたことへの罪悪感にちゃんと苦しんでいないと、自分を保てない。

物心ついた頃から、ことあるごとに僕は次男に因縁をつけ、わけもなく殴り、言葉の暴力でその繊細な心を傷付け、彼がチック症を発症するほどに追い詰め、苦しめた。彼が大

切にしていた自転車を壊し、彼が丹精こめて作り上げ、机の上にいくつも飾ってあったガンダムのプラモデルを壊し、そして、彼の未来を壊した。

いつからだったか、次男の宝物を壊したり、次男に暴力を振るったあとに、僕は次男の机の上に百円玉や五百円玉を置くようになった。僕も心のどこかでは、次男にしたことを申し訳ないと思っていたのかもしれない。あれが僕の精一杯の「ごめんなさい」だったのだろうか。そんなことで僕は彼に許してもらえるなどと思っていたのだろうか。そんなものより、ちゃんと言葉にして、気持ちを込めて謝ったり、それ以前に、彼に対してもっと優しく接することがなぜできなかったのか……。

僕が小学五年の時だった。家族で親戚の家に向かう途中、車の中で、次男が僕にこう質問した。

「A、なんで俺のこと嫌いなん？」

僕は何も答えられなかった。次男は怒っているでも、責めているふうでもなく、ただ、とても悲しい眼をしていた。次男の眼は何もかもを見透かしているようだった。次男は、ちゃんと気付いていた。知っていた。理解していた。僕が彼を、憎んでしまっていたことを。あの時の、次男の眼。なぜ僕が自分を憎むのか、それがどうしてもわからず、純粋に不思議に思っている眼、どこか諦念のようなものさえ含んだもの憂《う》い眼を思い出すたび、心が破裂しそうになる。

僕は次男に、嫉妬していたのだろうか。勉強も、運動もできて、性格も明るく、友達も多く、親戚のあいだでも人気者で、自分にないものをすべて持っていた次男に。

それとも、母親の愛情を自分ひとりだけに向けさせたくて、次男のことを疎ましく思っていたのだろうか。正直に言うと、自分でも、どうしてあんなに次男のことを傷付けなくてはならなかったのかが、わからない。わからないで済まされることではないと思う。でも、本当にどうしてもわからない。

少年院に入ってすぐ、次男から初めて届いた手紙を今でも大切に持っている。当時彼は十三歳だった。便箋一枚に、次男の左手の手形が震えた鉛筆のラインで象《かたど》られていた。きっと母親から僕に手紙を書くように言われ、でもどうしても何も書くことができなくて、次男は自分の手形を送ってくれたのだと思う。僕は少年院の独房でこの手紙を受け取り、机の上に置いた次男の手形に自分の手を合わせ、噎《むせ》び泣いた。

あの手形を取った時の次男の小さな手は、いったいどれほどの不安と、恐怖と、やりきれなさと、悲しみと、僕への憎しみを抱えていたのだろう。それを考えると辛い。辛くて切なくてたまらない。本当に申し訳ない。今でも時々その手紙を取り出しては、次男の手形に自分の手を合わせる。そうすると、どんなに辛いことも、どんなに苦しいことも、この手形を取った時の次男の苦しみに比べれば、苦しみのうちには入らないと思えて、「もう少し頑張ろう」と自分を奮い立たせることができる。

辛いはずなのに、苦しいはずなのに、そんなふうに僕を支えてくれた次男のことを、僕は本当に大事に思っている。事件の前も後も、ずっと苦しめ、傷付けてきたことを、心から悔いている。

三男から届いた手紙には、僕を気遣い励まそうとする、優しく思い遣りに満ちた言葉が書かれ、手紙の最後はこうくくられていた。

「何があっても、Aはこの世でたった二人しかおらん、俺の大事な兄貴やからな!!」

その言葉は、三男が、彼自身に向かって叫んでいる言葉のようにも思えた。僕には三男のそんな優しさが苦しかった。

よく一緒に遊んだ、仲の良かった友達の命を、あんな残虐なかたちで奪った犯人が実の兄だったと知った時の三男のショックや恐怖、絶望感は、想像を絶していたと思う。それでも三男は恨みごとひとつ言わず、僕を気遣い、励まし、優しい言葉をかけ続けてくれた。そんなふうに僕を優しく気遣う三男に、僕はこれまでどれほどひどいことをしてきたのだろう。

三男の顔をエアーガンで撃ってしまったことがあった。居間の窓ガラスに三男の顔をぶつけて怪我をさせてしまったこともあった。何も悪いことなんてしていないのに、泣きながら謝る三男の頭を、何発も何発も、強く殴り続けたこともあった。どんなに痛かったろう。どんなに怖かったろう。そして三男の大事な友達の命を、あんなかたちで奪い、三男の人生をむちゃくちゃにしてしまった。どんな時も僕に優しくしてくれた三男に対して、自分がこれまでにしてきた数々のひどい仕打ちを思い返すと、自分を思い切りぶん殴りたくなる。

なぜ僕が三男の兄として生まれてきたのだろう。誰に対しても分け隔てがなく、余りにも優しすぎる心を持った三男とは、似ても似つかない、まったく正反対の、僕みたいなやつが。三男がもしも憎しみや怒りを僕にぶつけてくれたのなら、僕を罵倒して、自分がされたのと同じように僕を殴りつけてくれたのなら、僕はもっと楽になったと思う。三男の優しさが、傷つけてほしいのに、癒そうとする、突き放してほしいのに、受け容れようとする、許されたくないのに、自分の心を押し潰《つぶ》してまで必死に僕を許そうとする三男のその優しさが、僕には拷問だった。

二人の弟たちは、紛れもなく僕の「被害者」だ。

そんな想いがあったせいか、せめて、弟たちを傷付け、たくさん泣かせた分まで、中国人の後輩には優しくしようと思った。そんなことで弟たちへの償いになるとは思わなかったが……。

社会の一員としてルールやマナーを守り、一生懸命に仕事をし、普通に生活する。現実に社会の中に飛び込み、なりふり構わずに仕事をし、必死に日々を生きるようになるまで、そんな「当たり前」なことが、どんなに大変で、辛く、苦しく、そして幸せなことであるのかを、身をもって噛みしめたことはなかった。

社会の中で生きていくことは大変でも、大変だからこそ、些細な日常を幸福に感じたり、人とのつながりが、これほどに温かいものだったのだと気付かされたり、沢山の大切なことを周囲の人たちから教わったように思う。

人の役に立つ。信頼される。必要とされる。それが素直に嬉しかったし、自分もひとりの人間として社会に受け入れられたのだと、自信にもなった。初めて自分の力で自分の居場所を手にしたことに、確かな手応えと充実感を感じた。

でも、そんな前向きな気持ちは、粉々に打ち砕かれることになった。

ある日、仕事を教わった先輩から、彼の家で一緒に夕飯を摂《と》ろうと誘われた。所帯持ちの人で、僕がアパートを借りる時に保証人になってくれた恩人でもあり、仕事の面倒を見てくれただけでなく、対人関係に難有りの僕が一部の同僚と些細なイザコザを起こすたび、唯一あいだに入って庇《かば》ってくれた人でもあった。見た目はヤンチャだったが、社内でも一、二を争うほど仕事のできる人で、気配りも上手く、人望もあった。僕も彼を信頼し、慕っていた。

僕が何か複雑な事情を抱えていることをそれとなく察し、あえてこちらの過去を尋ねることもしなかった。そんな彼から自分の家に来ないかと誘われ、僕は動揺した。断りたい気持ちもあった。自分のような汚らわしい人間が、実直に、懸命に日々を生きる人の家庭に、足を踏み入れてはならない。そう思った。でも、これまで損得抜きで自分に親切に接してくれた彼の好意を無碍《むげ》にするのも悪い気がした。僕は彼の誘いに応じた。

ローンを組んで買ったばかりだという彼のマイホームを訪ねると、玄関で、彼と、小学校に上がったばかりの彼の娘さんと、奥さんが、僕を出迎えた。その瞬間、僕は、自分でも説明のつかない足の竦《すく》むような恐怖感に囚われた。やはり自分は、ここへ来るべきではなかった。来てはならなかった。

テーブルについても、僕は食事が喉を通らなかった。僕の眼の前では、快活で、はきはきとしゃべる彼の娘さんが、学校生活や友人のことなどを楽しそうに話し、たまに、僕にいろいろと質問した。出身地はどこか。家族は何人いるのか。何ひとつ本当のことを答えられないのが辛かった。

無邪気に、無防備に、僕に微笑みかけるその子の眼差しが、その優しい眼差しが、かつて自分が手にかけた幼い二人の被害者の眼差しに重なって見えた。

道案内を頼んだ僕に、親切に応じた彩花《あやか》さん。最後の最後まで僕に向けられていた、あの哀願するような眼差し。「亀を見に行こう」という僕の言葉を信じ、一緒に遊んでもらえるのだと思って、楽しそうに、嬉しそうに、鼻歌を口ずさみながら僕に付いてきた淳《じゅん》君の、あの無垢な眼差し。

耐えきれなかった。この時の感覚は、もう理屈じゃなかった。

僕はあろうことか食事の途中で体調の不良を訴えて席を立ち、家まで送るという先輩の気遣いも撥《は》ね退け、逃げるように彼の家をあとにした。

自宅へ帰るバスの中で、僕はどういうわけか、涙が止まらなかった。社会に出てから、悔しい思いをしたり、傷付いた経験は何度もあった。でもこの時ほど、辛く苦しい気持ちになったことはない。自分が無自覚に奪い去ってしまったものの重み、決して拭えない大きな罪を、理屈でも何でもなく、まったく誤魔化しのきかない現実として、容赦のない、剥《む》き出しの現実として、眼の前に突き付けられた気がした。この世には取り返しのつく過ちと取り返しのつかない過ちがある。自分のしたことは疑いようもなく後者なのだと、この時ほど激しく実感したことはなかった。

こんな思いをするくらいなら少年院から出なければよかったと本気で思った。少年院での生活は、ある意味「無菌状態」だった。良くも悪くも刺激は最低限に抑えられ、自由はないが、かろうじて自分が自分でいられる環境ではあった。

自分の過去を隠したまま「別な人間」として周りの人たちに近付きすぎると、本当の自分をつい忘れてしまうことがある。でもこうやってふとした拍子に、自分は何者で、何をしてきた人間なのかを思い出すと、いきなり崖から突き落とされたような気持ちになる。どんなに頑張っても、必死に努力しても、一度一線を越えてしまった者は、もう決して、二度と、絶対に、他の人たちと同じ地平に立つことはできないのだと思い知る。

僕はその日を境に、件《くだん》の先輩とまともにコミュニケーションが取れなくなってしまった。急に掌を返したように素っ気ない態度を取る僕を、さすがの彼も快くは思わなかった。「何だよコイツ」と思われたはずだ。

悪いことは重なった。仕事の休憩時間、持ち場で休んでいると、中国人の後輩がコンビニの使い捨てカメラを持って僕のところに来た。

「Aさん、Aさん、ワタシと写真、撮りましょう」

屈託のない笑顔で、彼が言った。中国で暮らす家族に自分と僕の写真を送りたいのだという。僕は全身が強張《こわば》った。写真が苦手だからと言って断ったが、彼は聞こえなかったのかじゃれるつもりだったのか、カメラを構え、僕の顔の真ん前でシャッターをきった。フラッシュの閃光が網膜を突き抜け、頭が真っ白になった。次の瞬間、僕は彼から乱暴にカメラを取り上げ、床に叩き付け、踏んで壊した。ハッと我に返って彼のほうを見ると、普段の姿から余りにかけ離れた、常軌を逸した僕の剣幕に強いショックを受けたのか、怯《おび》えた眼で僕を見つめていた。とんでもないことをしてしまったと思った。僕は財布から千円札を抜き取り、ごめん、と謝って、彼に差し出した。彼の眼の色が怯えから悲しみへと変わった。

――「A、なんで俺のこと嫌いなん?」――

弟の顔が頭によぎった。彼はあの時の弟と同じ眼でしばらく僕を見つめ、お金を受け取らずに無言で立ち去った。僕は激しい自己嫌悪に襲われた。

信頼されている？

人の役に立っている？

必要とされている？

社会の一員として受け入れられている？

そんなものはすべてファンタジーにすぎなかった。

自分は周りを騙《だま》している。そんな後ろめたさが芽生え、人と関わりを持つことが怖くてたまらなくなった。罪悪感に耐えきれなくなり、先輩や中国人の後輩や社長に、自分の過去を打ち明けてしまいたい衝動に駆られたことも一度や二度ではなかった。

同僚たちと同じように仕事をし、彼らと同じように日常生活を送っていると、自分も普通の人生を送ってきた人間であるかのように錯覚してしまうことが、たびたびあった。

職場の個室トイレに入り、扉を閉めた瞬間、不意に我に返ったように、

――自分は人の命を奪った人間なんだ。命を奪った上に、さらに酷いことをし、被害者の遺族を今も苦しめている人間なんだ――

という実感が、一気に身体じゅうに拡がって、扉の向こう側が、本当は自分が居てはならない遠い世界のように思えた。「社会の中で罪を背負って生きていく」ということの真の辛さを、僕は骨身に沁みて感じるようになった。

自分は人間の皮を被って社会に紛れ込んだ人殺しのケダモノだ。いくら表面的に普通に暮らしても、他の人たちと同じ場所では生きられない。その変えようのない現実を強烈に意識し始め、僕はどんどんどんどん自分の中に追い詰められていった。もう自分を保てない。このままここに居ては壊れる。そう直感した。

二〇一二年冬。僕は三年三か月勤めた会社に辞表を出した。

ちっぽけな答え（二〇一二年十二月〜）

退職後は短期のアルバイトを掛け持ちして食いつないだ。ほとんど誰とも会話せず、人と関わることを徹底して避けた。

少年院を出て以来、彩花《あやか》さんの命日である三月二十三日、淳《じゅん》君の命日である五月二十四日に、それぞれの遺族の方々に謝罪の手紙を送っていた。どれほど生活や気持ちに余裕がなくとも、それだけは欠かさずに続けた。

毎年三月に入ると、手紙の準備に取りかかる。仕事に行く以外は家から一歩も出ず、ひたすら淳君のお父さん、彩花さんのお母さんがそれぞれに書かれた本を読み、過去に録り溜めた自分の事件に関するドキュメントを、古いものから順に繰り返し視聴する。テレビはいっさい見ないし、音楽も聴かない。山籠もりのような状況に自分を置き、被害者のこと以外は何も考えない生活を三か月間送る。

徐々に気持ちが不安定になり、犯行時の様子がフラッシュバックし、悪夢にうなされる日が続く。この時期になると、よく死刑の夢を見る。僕は両脇を二人の刑務官に挟まれ、狭く薄暗い廊下を歩いている。彼らは僕に「面会だ」と告げた。僕は、それは嘘だと気付いていた。でも気付かないふりをして、平静を装って廊下の突き当たりの部屋に向かって歩いていく。一歩踏み出すごとに心臓が高鳴り、恐怖感が募《つの》る。重い鉄の扉を刑務官が開く。眼の前に絞首刑用の縄が見える。僕はとうとう恐怖に耐えきれなくなり、泣き喚《わめ》きながら逃げ出そうとする。二人の刑務官は僕の両腕をがっちりと掴み、引き摺《ず》っていく。縄の前まで来ると彼らは僕の顔に袋を被せ、後ろ手に手錠をかけ、頭を乱暴に押さえながら僕の首に縄をかける。縄のささくれがチクチクと首の皮膚を刺す。ガタンッと足元の床が開き、僕は落下する。首が物凄い力で締めつけられ、実際に呼吸ができない。顔がカッと熱くなり、頭が内側から破裂しそうになる。窒息の苦痛が頂点に達すると、眼が覚める。そこでやっと息ができる。首のあたりがいやにヒリヒリする。夢を見ながら両手で自分の首周りを掻き毟《むし》っていた。髪や額や枕や布団が、汗でぐっしょりと濡れている。眠るのが怖くなり、なるべく遅くまで起きるようになる。睡眠不足で顔面が蒼白になる。食欲が失せ、四六時中喉が渇いて水をがぶ飲みする。血の気が引き、吐き気がして、時には本当に吐いてしまう。周囲の話し声や物音がくぐもって聴こえ、声をかけられても気付かないことが多い。手足の動きが鈍くなり、不快な浮遊感に包まれ、まるで水の中で生活しているような感覚になる。その状態で一気に紙に文字を書き出す。

だが本当に辛いのは、手紙を出し終えてからだ。淳君のお父さん、彩花さんのお母さんは、毎年命日に合わせてメディアにコメントを発表する。僕から謝罪の手紙が届いたことを明かし、それぞれに手紙を読んだ感想を述べる。僕も被害者の方も互いに相手がどこに住んでいるのかを知らない。だからメディアを通じてしか僕は被害者の方たちの心情を知ることができない。コメントが出るまでのあいだ、僕は気が気でなくなる。

二〇〇九年頃から、こちらの気持ちを汲み取ったコメントをいただけるようになった。さりとて自分のしたことを、自分が生きていることを、遺族の方が決して許してくれたわけではないのは重々わかっている。ほんの一言二言であっても、肯定的な言葉をメディアを通じて正式に発表することが、遺族の方たちからしてみればどれほど辛く、苦しく、勇気のいることか、それを思うと、僕はただただ頭を下げざるをえない。

僕はふたつの動機から被害者に手紙を書き続けた。

まずひとつは、純粋に贖罪の気持ちを伝えるためだ。僕はずっと罪の意識に苛《さいな》まれてきた。本心からの謝罪の気持ちを、誠意を、決して被害者のことを忘れてはいないことを、自分のしたことで今も苦悩している姿を、自分の言葉できちんと伝えたかった。

もうひとつは、「この一年間は、手を抜かずにしっかり生き切ることができただろうか？」と、自分に問いかけ、一年分の自分の生き方を棚卸しするために、被害者の方への手紙を書く側面もある。もし被害者の方に気持ちが伝わらなければ、自分はこの一年間、無駄に生きたことになる。何も考えなかったことになる。事件当時のモンスターのまま、何も変わっていないことになる。自分だけではなく、これまで自分を信じ、支えてくれた人たちまで、裏切ることになる。それだけは絶対に嫌だった。

年を追うごとに、手紙を出すことへの重圧が増した。命日が近付くたび、今年もちゃんとした手紙が書けるだろうかと、不安や恐怖に襲われ、限界を感じ、何も手につかなくなり、プレッシャーに押し潰《つぶ》されそうになる。

落ち込むことは他にもある。自分と同年代の者や年少者が動機不可解な犯罪を起こすと、専門家が僕の事件を取り上げて、さも僕が悪の種子をばら撒《ま》いたようなニュアンスの物言いをする。言われても仕方がないことだとは思う。僕には反論する資格はない。僕には物を言う権利がない。だがどうしようもなく虚しく、悔しい気持ちにはなる。

溶接工時代は小説を読むことに没頭したが、会社を辞めてからは、自分の物語を自分の言葉で書いてみたい衝動に駆られた。記憶の墓地を掘り返し、過去の遺骨をひとつひとつ丁寧に拾い集め、繋ぎ合わせ、組み立て、朧《おぼろ》に立ち現れたその骨格に、これまでに覚えた言葉で丹念に肉付けしていった。法医学者が白骨死体から生前の姿を再現するように、僕は自分の喪われた人生に、その抜け殻のような人生に、言葉でもう一度息を吹き込みたかった。そうすることでしか〝生きる〟ことができなかった。僕にとって「書く」ことは、自分で自分の存在を確認し、自らの生を取り戻す作業だった。最初は断片的なシーンを短い文章でケータイに打ち込んでいたが、次第に堰《せき》をきったように言葉が溢《あふ》れ出し、ケータイの小さな画面では間に合わなくなり、パソコンを使って本格的に書き始めた。

振り返ると、プレス工時代はアクセサリーデザイン、建設会社に居た頃はペーパークラフト、流浪生活を送った頃はコラージュと、一定のサイクルで興味の対象は切り替わったが、僕は常に、何かを〝創る〟ことに夢中だった。僕にとってものを創り表現することは生理現象だった。当時は意識しなかったが、もしかすると僕は、クリエイションによる自己回復を絶えず志向し、試みていたのかもしれない。何かを創り、表現することで、必死に自分で自分を治そうとしたのかもしれない。そうして僕が最後に行き着いた治療法が文章だった。もはや僕には言葉しか残らなかった。

居場所を求めて彷徨い続けた。どこへ行っても僕はストレンジャーだった。長い彷徨の果てに僕が最後に辿り着いた居場所、自分が自分でいられる安息の地は、自分の中にしかなかった。自分を掻《か》っ捌《さば》き、自分の内側に、自分の居場所を、自分の言葉で築き上げる以外に、もう僕には生きる術がなかった。

仏師が仏を彫るように、言葉の鑿《のみ》で自己の物語を一彫り一彫り、地道にコツコツ削り出しながら、僕はあるひとつの問いを頭の中で反芻し続けた。

――なぜ人を殺してはいけないのか？――

これは、僕が事件を起こした年の夏に、某ニュース番組の中で企画された視聴者参加型の討論会で、十代の男の子が発した問いだった。番組のゲストに呼ばれた作家やコメンテーターは、誰ひとりこの問いに答えられなかった。

大人になった今の僕が、もし十代の少年に「どうして人を殺してはいけないのですか？」と問われたら、ただこうとしか言えない。

「どうしていけないのかは、わかりません。でも絶対に、絶対にしないでください。もしやったら、あなたが想像しているよりもずっと、あなた自身が苦しむことになるから」

哲学的な捻《ひね》りも何もない、こんな平易な言葉で、その少年を納得させられるとは到底思えない。でも、これが、少年院を出て以来十一年間、重い十字架を引き摺《ず》りながらのたうちまわって生き、やっと見付けた唯一の、僕の「答え」だった。

どんな理由であろうと、ひとたび他人の命を奪えば、その記憶は自分の心と身体のいちばん奥深くに焼印のように刻み込まれ、決して消えることはない。表面的にいくら普通の生活を送っても、一生引き摺り続ける。何より辛いのは、他人の優しさ、温かさに触れても、それを他の人たちと同じように、あるがままに「喜び」や「幸せ」として感受できないことだ。他人の真心が、時に鋭い刃となって全身を斬り苛む。そうなって初めて気が付く。自分がかつて、己の全存在を賭して唾棄したこの世界は、残酷なくらいに、美しかったのだと。一度捨て去った「人間の心」をふたたび取り戻すことが、これほど辛く苦しいとは思わなかった。まっとうに生きようとすればするほど、人間らしくあろうと努力すればするほど、はかりしれない激痛が伴う。かといって、そういったことを何も感じず、人間であることをきれいさっぱり放棄するには、この世界には余りにも優しく、温かく、美しいもので溢れている。もはや痛みを伴ってしか、そういったものに触れられない自分を、激しく呪う。

何度願ったかわからない。時間を巻き戻せたらと。まだ罪を犯す前の子供の頃の記憶が、たまらなく懐かしく愛おしい。あの頃に戻ってもう一度やり直したい。今度こそまともな人生を歩みたい。でもどんなに願っても、もう遅い。二度とそこに戻ることはできない。だからせめて、もう二度と人を傷付けたりせず、人の痛みを真っ直ぐ受けとめ、被害者や、これまでに傷付けてしまった人たちの分まで、今自分の周囲にいる人たちを大事にしながら、自分のしたことに死ぬまで目一杯、がむしゃらに「苦悩」し、それを自分の言葉で伝えることで、「なぜ人を殺してはいけないのですか？」というその問いに、僕は一生答え続けていこうと思う。

「人を殺してはいけない理由」を問う少年たちに、この苦しみを味わわせたくない。

道（二〇一五年　春）

カツン、カツン、と、何かが窓を叩く音で眼が覚めた。布団から出て、カーテンを開ける。洗濯物を取り込むのを忘れていたみたいだ。

それにしてもいい天気だった。

休日はいつも、モグラのように部屋に引き籠もって過ごすのだが、それでも年に一、二回、無性に陽《ひ》の光を浴びたくなる時がある。

洗濯物を取り込み、歯磨き洗面髭剃りを済ませ、ぶらぶらと散歩に出かけた。

歩いて十分ほどのところに公園がある。公園に入り、藤棚の屋根の下のベンチに腰掛けた。しばらくすると、自分と同年代くらいの夫婦が、赤ん坊をベビーカーに乗せて公園に入ってきた。

公園の真ん中の芝生の陽だまりにベビーカーをとめ、灰色と紺色のバイカラーのワンピースに日除けの白いキャスケットを被った母親が、赤ん坊を抱き上げた。

若い母親は、赤ん坊を腕の中で軽く上下に揺すりながら、右へ左へそっと上体をひねり、この穏やかで美しい世界と、産まれたての真新しい生命とを、優しく触れ合わせていた。

僕は想い浮かべてみた。赤ん坊は、何ていう名前なんだろう。あの父親は、母親に、どんな言葉でプロポーズしたのだろう。その子が産まれた時、母親は、いちばん最初に何と声をかけたのだろう。

自分には、そんなことを想い浮かべる資格なんてない。そう思って、すぐにやめた。

母親の頬に小さな手を伸ばす赤ん坊の、嬉しそうにはしゃぐ姿。母親の、幸せそうな微笑み。傍らで二人を見守る、短髪に銀縁メガネをかけた、背が高く清潔で実直そうな父親の、優しい笑顔。そこへ密集する光は、沖天《ちゅうてん》に輝く太陽に少しも依存していなかった。光は自生していた。その光は何ものにも依らず、光の一粒一粒が、さらに小さな光を無数に排卵し、アメーバのように片時も休まず無限に分裂と増殖を繰り返しながら、この三人を包む柔らかな春の空気に一分の隙もなく溶け染み入っていた。その光景を見て、

――自分が奪ったものはこれなんだ――

と思った。それは、「何でもない光景」だった。でも、他の何ものにも代えがたい、人間が生きることの意味が全て詰まった、とてもとても尊い光景だった。

自分が被害者の方たちから奪い去ってしまった、「何でもない光景」を、僕は目撃し、体感した。自分が、そこにいてはならない汚らわしいもののように感じた。僕はベンチを立ち、公園の出口へ向かい、うっかり足を踏み入れてしまった陽なたの世界から、逃げるように立ち去った。

公園を出て、足早に歩きながら、僕はなぜか無性に煙草が吸いたくなった。コンビニに入って赤マルとライターを買い、店の脇のスモーキングスペースで封を切った。白いパッケージの上部に、女性の唇をイメージしたと言われる赤いロゴマークがあしらわれた独特で秀逸なデザイン。僕は、赤と白の鮮烈な対比が印象的なこの赤マルのデザインが好きだった。赤は生理の血液の色を、白は精液の色を喚起させる。僕にとって〝赤〟と〝白〟は「生命の色」だ。

小学六年の頃、図画工作の授業で、人間の脳の形をした紙細工にカッターナイフの替え刃をたくさん突き刺し、全体を赤と白の絵の具で彩色したオブジェを造った。そんなことを思い出しながら、パッケージから一本取り出し、匂いを嗅いだ。少し油っぽい、懐かしい香りが鼻をうつ。口に咥《くわ》え、火をつけた。二十年振りだった。最初の一口を吸い込むと、重量感のある濃い煙が鉛玉のようにズシンと押し寄せ、気道を圧迫した。喉が痙攣《けいれん》し、噎《む》せ返った。僕は指に挟んだ煙草をまじまじと見つめた。あの頃僕は、こんな毒を吸っていたのか……。もう一度咥え、眼を閉じて、今度は肺一杯に思い切り吸い込んだ。頭がクラクラした。眼を開け、顔を上げ、青く塗った人肌のような、いやに弾力を感じさせるすべらかな空に向かって、ゆっくり煙を吐き出した。たおやかに照りつける半透明の春陽が僕を静かに炙《あぶ》る。罪人《つみびと》にとって明るい太陽の光は地獄の業火だ。

自分は今どこに立っているのだろう。

「ひとりで生きて行く」。そう決意し安全な籠を飛び出して十年。僕は本当は、ただ逃げたかっただけなのかもしれない。

自分の過去から。

自分自身から。

でも結局どこへ行っても、僕は、僕からは逃げられなかった。

もう、逃げるのはやめよう。自分の立つ場所がどこであろうと、背に負った十字架の、その重さの分だけ、深く強くめり込んだ足跡を遺そう。二度と戻らないこの一瞬一瞬に、一歩一歩くっきりと、自分の足跡を刻み歩こう。

半分に減った煙草を揉み消し、残り十九本入ったパッケージをゴミ箱へ捨てた。

僕は足に力を込め、地面を踏みしめて歩き出した。

どんなに遠廻りしても、どんなに歪《いびつ》で曲がりくねっても、いつかこの生命《いのち》の涯《はて》に後ろを振り向いた時、自分の遺した足跡が、一本の道になるように。

被害者のご家族の皆様へ

まず、皆様に無断でこのような本を出版することになったことを、深くお詫び申し上げます。本当に申し訳ありません。どのようなご批判も、甘んじて受ける覚悟です。

何を書いても言い訳になってしまいますが、僕がどうしてもこの本を書かざるを得なかった理由について、正直にお話しさせていただきたく思います。

二〇〇四年三月十日。少年院を仮退院してからこれまでの十一年間、僕は、必死になって、地べたを這《は》いずり、のたうちまわりながら、自らが犯した罪を背負って生きられる自分の居場所を、探し求め続けてきました。人並みに社会の矛盾にもぶつかり、理不尽な目にも遭い、悔しい思いもし、そのたびに打ちひしがれ、落ち込み、何もかもが嫌になってしまったこともありました。ぎりぎりのところで、いつも周囲の人たちに助けられながら、やっとの思いで、曲がりなりにも何とか社会生活を送り続けることができました。しかし、申し訳ありません。僕には、罪を背負いながら、毎日人と顔を合わせ、関わりを持ち、それでもちゃんと自分を見失うことなく、心のバランスを保ち、社会の中で人並みに生活していくことができませんでした。周りの人たちと同じようにやっていく力が、僕にはありませんでした。「力がありませんでした」で済まされる問題ではないことは、重々承知しております。それでも、もうこの本を書く以外に、この社会の中で、罪を背負って生きられる居場所を、僕はとうとう見つけることができませんでした。許されないと思います。理由になどなっていないと思います。本当に申し訳ありません。

僕にはもう、失うものなど何もないのだと思っていました。それだけを自分の強みのように捉え、傲慢にも、自分はひとりで生きているのだと思い込んだ時期もありました。でもそれは、大きな間違いでした。こんな自分にも、失いたくない大切な人が大勢いました。その人が泣けば自分も悲しくなり、その人が笑えば自分も嬉しくなる。そんなかけがえのない、失いたくない、大切な人たちの存在が、今の自分を作り、生かしてくれているのだということに気付かされました。

僕にとっての大切な、かけがえのない人たちと同じように、僕が命を奪ってしまった淳《じゅん》君や彩花《あやか》さんも、皆様にとってのかけがえのない、取り替えのきかない、大切な、本当に大切な存在であったということを、自分が、どれほど大切なかけがえのない存在を、皆様から奪ってしまったのかを、思い知るようになりました。自分は、決して許されないことをしたのだ。取り返しのつかないことをしたのだ。それを理屈ではなく、重く、どこまでも明確な、容赦のない事実として、痛みを伴って感じるようになりました。

僕はこれまで様々な仕事に就き、なりふりかまわず必死に働いてきました。職場で一緒に仕事をした人たちも、皆なりふりかまわず、必死に働いていました。

病気の奥さんの治療費を稼ぐために、自分の体調を崩してまで、毎日夜遅くまで残業していた人。

仕事がなかなか覚えられず、毎日怒鳴り散らされながら、必死にメモを取り、休み時間を削って覚える努力をしていた人。

積み上げた資材が崩れ落ち、その傍で作業していた仲間を庇《かば》って、代わりに大怪我を負った人。

懸命な彼らの姿は、僕にはとても輝いて見えました。誰もが皆、必死に生きていました。ひとりひとり、苦しみや悲しみがあり、人間としての営みや幸せがあり、守るべきものがあり、傷だらけになりながら、泥まみれになりながら、汗を流し、涙を流し、二度と繰り返されることのない今この瞬間の生の重みを噛みしめて、精一杯に生きていました。彼らは、自分自身の生の重みを受け止め、大事にするのと同じように、他人である僕の生の重みまでも、受け止め、大事にしてくれました。

事件当時の僕は、自分や他人が、生きていることも、死んでいくことも、「生きる」「死ぬ」という、匂いも感触もない言葉として、記号として、どこかバーチャルなものとして認識していたように思います。しかし、人間が「生きる」ということは、決して無色無臭の「言葉」や「記号」などではなく、見ることも、嗅ぐことも、触ることもできる、温かく、柔らかく、優しく、尊く、気高く、美しく、絶対に傷つけてはならない、かけがえのない、この上なく愛おしいものなのだと、実社会での生活で経験したさまざまな痛みをとおして、肌に直接触れるように感じ取るようになりました。人と関わり、触れ合う中で、「生きている」というのは、もうそれだけで、他の何ものにも替えがたい奇跡であると実感するようになりました。

自分は生きている。

その事実にただただ感謝する時、自分がかつて、淳君や彩花さんから「生きる」ことを奪ってしまったという事実に、打ちのめされます。自分自身が「生きたい」と願うようになって初めて、僕は人が「生きる」ことの素晴らしさ、命の重みを、皮膚感覚で理解し始めました。そうして、淳君や彩花さんがどれほど「生きたい」と願っていたか、どれほど悔しい思いをされたのかを、深く考えるようになりました。

二人の人間の命を奪っておきながら、「生きたい」などと口にすること自体、言語道断だと思います。頭ではそれを理解していても、自分には生きる資格がないと自覚すればするほど、自分が死に値する人間であると実感すればするほど、どうしようもなく、もうどうしようもなく、自分でも嫌になるくらい、「生きたい」「生きさせてほしい」と願ってしまうのです。みっともなく、厭《いや》ったらしく、「生」を渇望してしまうのです。どんなに惨《みじ》めな状況にあっても、とにかく、ただ生きて、呼吸していたいと願う自分がいるのです。僕は今頃になって、「生きる」ことを愛してしまいました。どうして事件を起こす前にこういった感覚を持つことができなかったのか、それが自分自身、情けなくて、歯痒くて、悔しくて悔しくてたまりません。淳君や彩花さん、ご家族の皆様に、とても合わせる顔がありません。本当に申し訳ございません。

生きることは尊い。

生命は無条件に美しい。

そんな大切なことに、多くの人が普通に感じられていることに、なぜ自分は、もっと早くに気付けなかったのか。それに気付けていれば、あのような事件を起こさずに済んだはずです。取り返しのつかない、最悪の事態を引き起こしてしまうまで、どうして自分は、気付けなかったのだろうか。事件を起こすずっと前から、自分が見ない振りをしてきたことの中に、それに気付くことのできるチャンスはたくさんあったのではないだろうか。自分にそれを気付かせようとした人も、大勢いたのではないだろうか。そのことを、考え続けました。

今さら何を言っても、何を考えても、どんなに後悔しても、反省しても、遅すぎると思います。僕は本当に取り返しのつかない、決して許されないことをしてしまいました。その上さらにこのような本を書くなど、皆様からしてみれば、怒り心頭であると思います。

この十一年、沈黙が僕の言葉であり、虚像が僕の実体でした。僕はひたすら声を押しころし生きてきました。それはすべて自業自得であり、それに対して「辛い」「苦しい」などと口にすることは、僕には許されないと思います。でも僕は、とうとうそれに耐えられなくなってしまいました。自分の言葉で、自分の想いを語りたい。自分の生の軌跡を形にして遺したい。朝から晩まで、何をしている時でも、もうそれしか考えられなくなりました。そうしないことには、精神が崩壊しそうでした。自分の過去と対峙し、切り結び、それを書くことが、僕に残された唯一の自己救済であり、たったひとつの「生きる道」でした。僕にはこの本を書く以外に、もう自分の生を摑み取る手段がありませんでした。

本を書けば、皆様をさらに傷つけ苦しめることになってしまう。それをわかっていながら、どうしても、どうしても書かずにはいられませんでした。あまりにも身勝手すぎると思います。本当に申し訳ありません。

せめて、この本の中に、皆様の「なぜ」にお答えできている部分が、たとえほんの一行でもあってくれればと願ってやみません。

土師淳君、山下彩花さんのご冥福を、心よりお祈り申し上げます。

本当に申し訳ありませんでした。

元少年Ａ
一九八二年　神戸市生まれ
一九九七年　神戸連続児童殺傷事件（酒鬼薔薇聖斗事件）を起こし医療少年院に収容される
二〇〇四年　社会復帰

絶歌

二〇一五年六月二十八日初版発行
二〇二四年三月二十五日第五刷発行

著者　元少年Ａ
ブックデザイン　鈴木成一デザイン室
編集　落合美砂
発行人　森山裕之
発行所　株式会社太田出版
〒一六〇-八五七一 東京都新宿区愛住町二二 第三山田ビル四階
電話〇三-三三五九-六二六二 ＦＡＸ〇三-三三五九-〇〇四〇
振替〇〇一二〇-六-一六二一六六
ＷＥＢページ http://www.ohtabooks.com/
印刷・製本　株式会社光邦

ISBN978-4-7783-1450-7 C0095
ＪＡＳＲＡＣ出 1505955-501